초등 연산의 기준

칸토의 연산

100까지의 수, 받아올림·내림 없는
(두 자리 수 ± 두 자리 수)

머리말

"초등 입학 후 우리 아이가 해야 할 수학은?"

우리 아이가 초등학교에 처음 입학할 때의 모습이 떠오릅니다. 머리도 혼자 감지 못하는 아이가 벌써 초등학생이 되어 많은 아이들과 교실에서 생활한다니 대견스러우면서도 한편으론 '아이가 40분 수업 시간 동안 집중하며 앉아 있을 수 있을까? 소변이라도 보면 어떻게 하지?' 등등 고민이 한가득이었지요.

기대 반 걱정 반으로 하루하루를 보내며 아이는 어느덧 별탈 없이 학교에 잘 적응하는 모습입니다. 걱정이 사라질 즈음 아이는 학교에서 생전 처음 단원 평가라는 시험을 보게 됩니다. 7살 때 100까지 막힘없이 세던 우리 아이라 당연히 100점을 맞았을 거라 생각했지만 아쉽게 한두 개 틀려 옵니다. '실수라고, 다음에 잘하겠지.'라고 넘겨 보지만 100점 맞기는 쉽지 않습니다. 혹시나 해서 "다른 친구들은 어떻게 봤니?"라고 물으면 "누구누구는 100점 맞았어!"라고 자기랑 상관없다는 듯이 무심코 하는 말에 마음이 무너집니다.

아차 싶어 이제부터 친구 엄마들에게 학원, 학습지 등 공부 정보를 수집하며 어떤 선택이 우리 아이에게 최선의 선택일지 갈등과 고민이 시작됩니다. 공부란 것을 제대로 해 보지 못했던 우리 아이는 자기랑 맞지 않는 공부를 부모의 계획에 따르며 어느 순간부터 부모와의 감정싸움이 시작됩니다. 부모님들이 초등 저학년에 많이 겪게 되는 고민거리입니다.

중학교에서 수학을 포기하는 아이들의 상당수가 초등 연산의 기초가 없어서라고 합니다. 자연수, 분수의 사칙연산을 어려워하는 아이들이 정수, 유리수의 사칙연산을 어려워하는 것은 당연합니다.

고등학교에서 수학을 포기하는 아이들의 상당수는 공부하는 습관이 몸에 배어 있지 않아서라고 합니다. 공부 계획을 세우고 공부하는 습관은 학교에서 따로 가르쳐주지 않습니다. 할 줄 아는 아이들만 공부 계획표를 꾸준히 작성하고 실천하지 나머지는 포기합니다. 단시간에 공부습관을 바로잡기는 시간이 너무 부족합니다.

그렇다면 우리 아이가 초등학생 때 해야 할 수학은 무엇일까요?

공부 습관과 수학에 대한 자신감을 기르는 것입니다. 그런데 이 둘은 모두 연산 학습으로 잡을 수 있습니다.

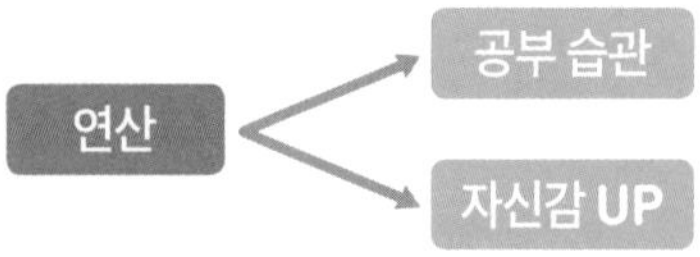

연산은 매일 꾸준히 지치지 않고 하는 것이 핵심입니다. 꾸준한 연산 학습은 연산 실력을 향상시킬 수 있을 뿐만 아니라 앞으로의 공부 습관과 태도를 형성할 수 있는 매우 중요한 학습 방법입니다. 처음에는 개념 위주로 연산의 정확도를 목표로 학습하고 꾸준히 연습하면 속도는 저절로 올라가니 처음부터 속도에 욕심내지 마세요. 그리고 연산 학습과 더불어 공부 시간을 10분, 20분, ……, 60분으로 늘려나가며 공부 체력을 길러 주세요.

연산을 잘하면 무엇이 좋을까요?

수업 시간에 대답도 잘하고 선생님께 칭찬을 받아 자신감이 올라갑니다. 또 아이는 잘하려는 마음이 생겨서 노력하게 되고 성취하게 되며 칭찬을 받게 되는 과정을 되풀이하여 결국 자신감을 넘어 자존감이 올라가게 됩니다.

또한 초등 저학년 수학 내용은 반 이상이 연산이라 연산을 잘하면 저학년 수학을 잘할 수 있습니다. 그리고 도형, 측정과 같은 다른 영역에서 넓이, 부피, 시간, 각도 등을 구할 때에도 연산이 중요하게 사용되므로 결국 수학을 잘한다는 것으로 이어집니다.

초등학교는 대학입시를 준비하는 단계가 아닙니다. 초반부터 무리하게 시작하는 것보다 아이에 맞게 공부 시간과 난이도를 조절해 보세요. 초등 공부 습관과 자신감은 중·고등 시기에 학업 성취를 높여 주는 발판이 될 것입니다. 나아가 하루하루 쌓여 끈기가 되고 인생을 살아가는 지혜가 될 것입니다.

"초등 6년 연산 학년별로 이것만은 꼭 알고 가요."

학년별로 성취해야 할 연산 내용을 미리 살펴보고, 부족한 부분을 정리해 보세요.

자연수	학년	분수·소수
간단한 덧셈·뺄셈 $9+3=12$ $11-5=6$	1	
두 자리 수의 덧셈·뺄셈 $65+17=82$ $73-59=14$ 곱셈구구 2의 단 ~ 9의 단	2	
세 자리 수의 덧셈·뺄셈 $257+168=425$ $614-269=345$ 두·세 자리 수의 곱셈·나눗셈 $24\times38=912$ $258\div4=64\cdots2$	3	「분수와 소수의 개념」
세 자리 수의 곱셈·나눗셈 $347\times52=18044$ $724\div26=27\cdots22$	4	분모가 같은 분수의 덧셈·뺄셈 $\frac{3}{5}+\frac{4}{5}=1\frac{2}{5}$ 소수 두 자리 수의 덧셈·뺄셈 $2.03+3.78=5.81$
자연수의 혼합 계산 $27\div3+(12-4)\times5=49$	5	분모가 다른 분수의 덧셈·뺄셈 $\frac{3}{4}+\frac{1}{6}=\frac{11}{12}$ 분수·소수의 곱셈 $\frac{2}{3}\times\frac{5}{8}=\frac{5}{12}$ $1.25\times1.2=1.5$
	6	분수·소수의 나눗셈 $\frac{2}{5}\div\frac{4}{7}=\frac{7}{10}$ $9.72\div2.7=3.6$

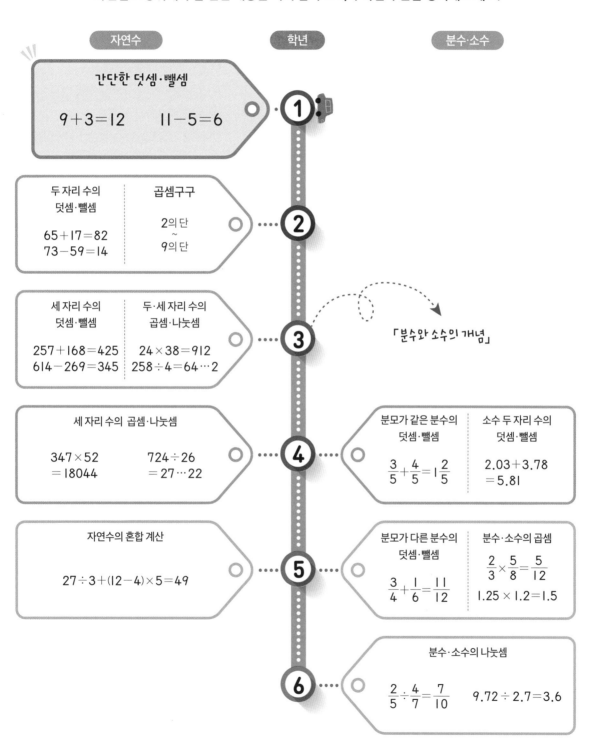

단계별 구성

유아/3단계

단계	권	주제
5세	1	1부터 5까지의 수
	2	6부터 9까지의 수
	3	1부터 9까지의 수
	4	덧셈과 뺄셈의 기초
6세	1	0부터 10까지의 수
	2	10까지의 수에서 더하기·빼기 1
	3	20까지의 수에서 더하기·빼기 1, 10
	4	20까지의 수에서 더하기·빼기 1, 2, 10
7세	1	합이 9까지의 덧셈
	2	9까지의 뺄셈과 덧셈·뺄셈
	3	50까지의 수에서 더하기·빼기 1, 2, 10
	4	받아올림·내림 없는 (두 자리 수±한 자리 수)

초등/6단계

단계	권	주제
초1	1	덧셈구구
	2	뺄셈구구
	3	편리한 계산 전략
	4	100까지의 수, 받아올림·내림 없는 (두 자리 수±두 자리 수)
초2	1	받아올림·내림 있는 (두 자리 수±한 자리 수)
	2	받아올림·내림 있는 (두 자리 수±두 자리 수)
	3	곱셈의 기초와 곱셈구구(1)
	4	곱셈구구(2)
초3	1	받아올림·내림 있는 (세 자리 수±세 자리 수)
	2	나눗셈구구
	3	(세 자리 수×한 자리 수), (두 자리 수×두 자리 수)
	4	분수와 소수의 기초
초4	1	큰 수
	2	곱셈과 나눗셈
	3	분모가 같은 분수의 덧셈과 뺄셈
	4	소수의 덧셈과 뺄셈
초5	1	자연수의 혼합 계산
	2	약수와 배수, 약분과 통분
	3	분모가 다른 분수의 덧셈과 뺄셈
	4	분수의 곱셈, 소수의 곱셈
초6	1	분수의 나눗셈
	2	소수의 나눗셈
	3	비와 비율
	4	비례식과 비례배분

칸토의 연산 시리즈

- 연산의 원리부터 재미있는 퍼즐형 문제까지 다루는 기본 난이도의 연산 교재
- 나선형 반복 학습과 확장 커리큘럼
- [칸토의 연산] ➡ [응용 연산]으로 이어지는 기본·심화 연산 학습 설계
- 단계별 4권, 9단계 총 36권 구성
- 한 단계 4개월 완성
- 학년별 교과서 진도와 맞춤 병행

이 책의
구성과 특징

- 하루 2쪽, 매주 5일씩 4주 동안 완성하는 연산 프로그램이에요.
- 연령별 아이의 학습 눈높이와 학습 체력에 맞게 쉬운 난이도와 하루 10분 정도의 학습 분량으로 구성하였어요.

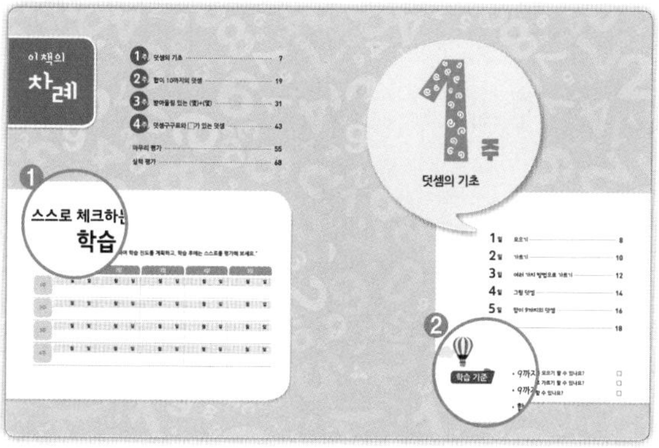

1 학습 안내 무엇을 공부할까요?

❶ 스스로 학습 진도를 계획하고 실천해 보세요.

❷ 이번 주에 꼭 알아야 할 학습 기준을 체크해요. 공부 전에 간단히 살펴보고, 한 주 공부가 끝나면 공부한 내용을 잘 알고 있는지 반드시 확인해 보세요.

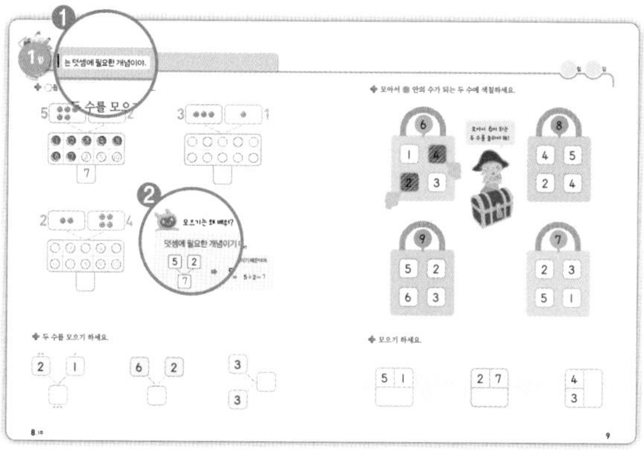

2 일일 학습 매주 5일씩 4주 동안 공부해요.

❶ 일일 학습 목표를 효율적으로 달성하기 위한 학습 목표 및 노하우를 담았어요. 무엇을 공부하는지 미리 알고 가는 공부는 목표 달성률이 훨씬 높답니다.

❷ 연산의 개념, 원리뿐만 아니라 궁금증을 해결할 수 있는 학습 노하우를 꼭 확인하세요.

3 확인 학습

이번 주 배운 내용을 잘 알고 있나요?

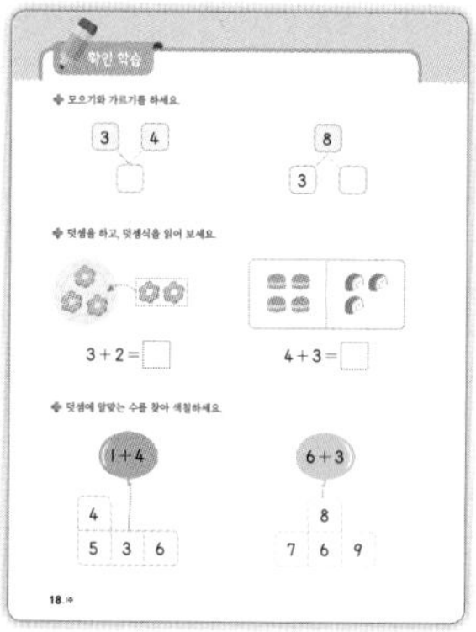

4 마무리 평가+실력 평가

4주 동안 배운 내용을 잘 알고 있나요?

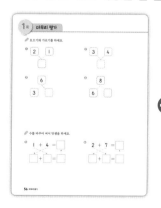

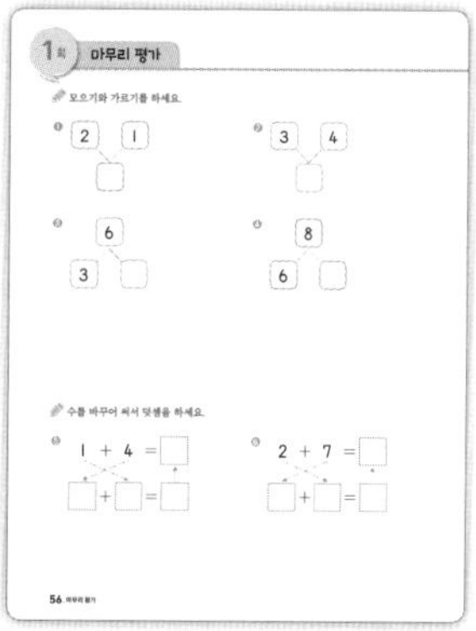

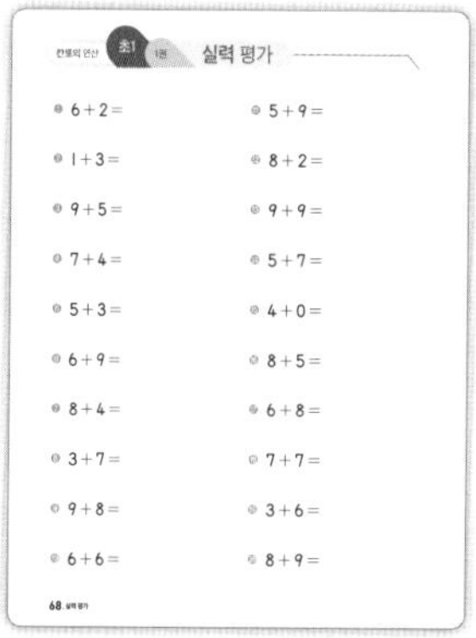

이 책의 차례

스스로 체크하는 학습 진도표

"일일 학습을 시작하기 전에 날짜를 기록하여 학습 진도를 계획하고, 학습 후에는 스스로를 평가해 보세요."

	1일	2일	3일	4일	5일
1주	월 일	월 일	월 일	월 일	월 일
2주	월 일	월 일	월 일	월 일	월 일
3주	월 일	월 일	월 일	월 일	월 일
4주	월 일	월 일	월 일	월 일	월 일

1주

100까지의 수

학습 기준

- 100까지의 수를 세고, 읽고, 쓸 수 있나요? ☐
- 10개씩 묶어 세어 개수를 알 수 있나요? ☐
- 동전을 보고 금액을 알 수 있나요? ☐
- 수 배열표를 완성할 수 있나요? ☐

1일 몇십은 10개씩 묶음의 수를 0과 함께 써서 나타내.

블록의 수를 쓰세요.

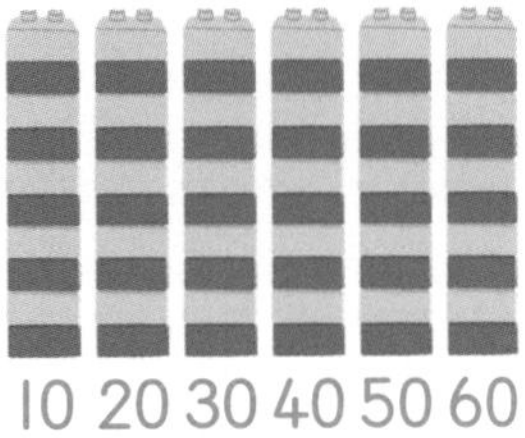

10개씩 묶음	낱개
6	0

➡ 60

육십, 예순

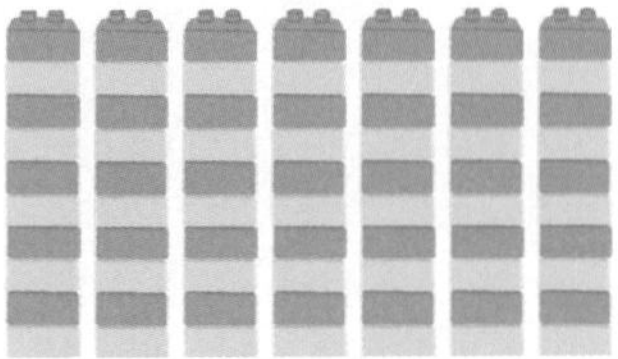

10개씩 묶음	낱개

➡ □

칠십, 일흔

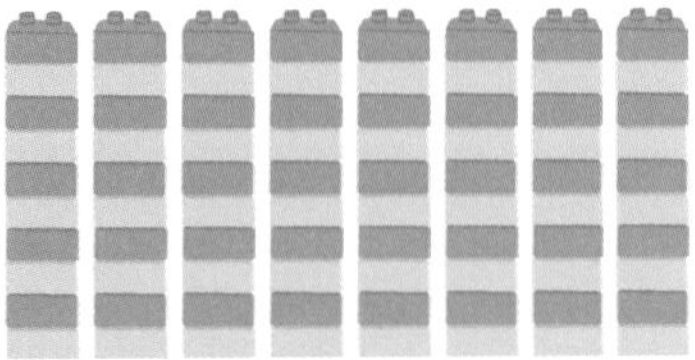

10개씩 묶음	낱개

➡ □

팔십, 여든

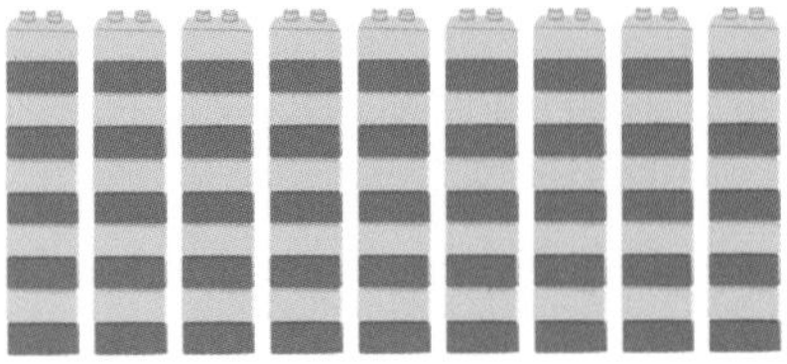

10개씩 묶음	낱개

➡ □

구십, 아흔

몇십은 2가지 방법으로 읽을 수 있어.

수	10	20	30	40	50	60	70	80	90	100
읽기	십	이십	삼십	사십	오십	육십	칠십	팔십	구십	백
	열	스물	서른	마흔	쉰	예순	일흔	여든	아흔	

관계있는 것끼리 선으로 이으세요.

10개씩 묶음이 7개	60	칠십
10개씩 묶음이 6개	80	육십
10개씩 묶음이 8개	70	팔십

세어 보고 수를 쓰세요.

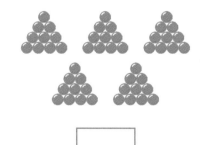

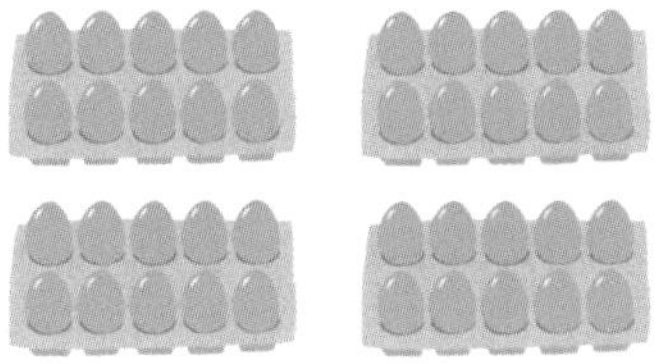

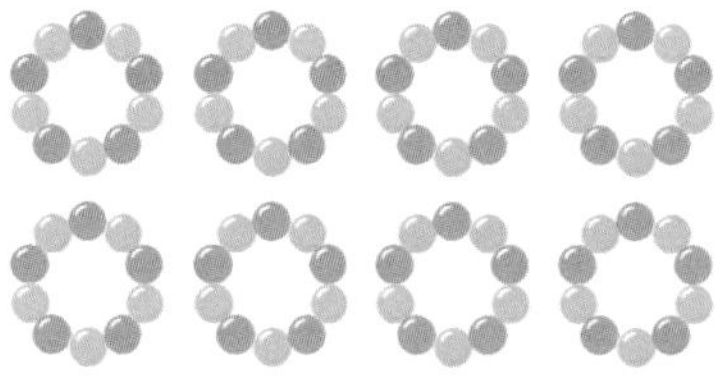

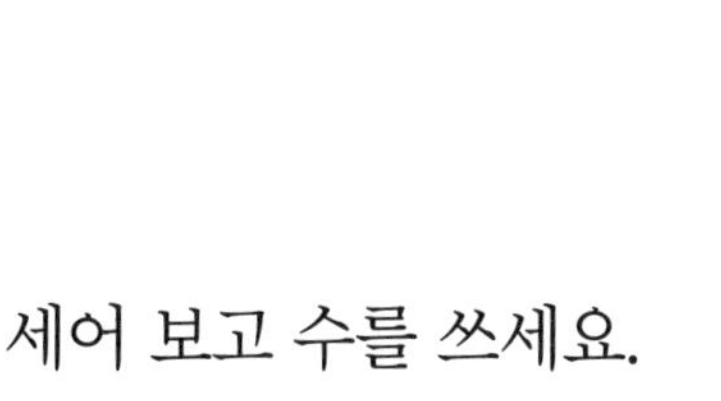

2일 몇십몇 은 10개씩 묶음의 수와 낱개의 수를 나타내.

세어 보고 수를 쓰세요.

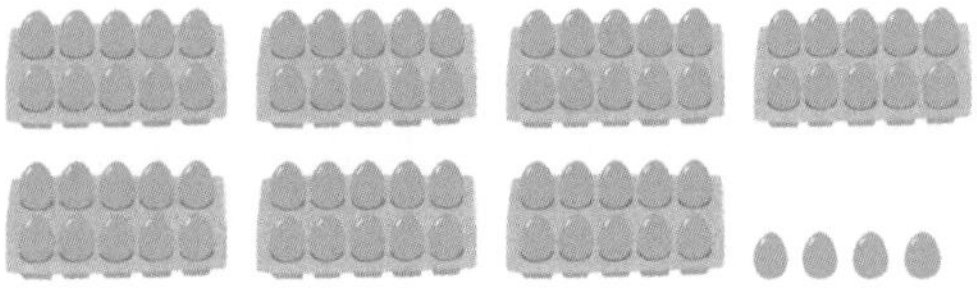

10개씩 묶음	낱개
7	4

➡ 74

칠십사, 일흔넷

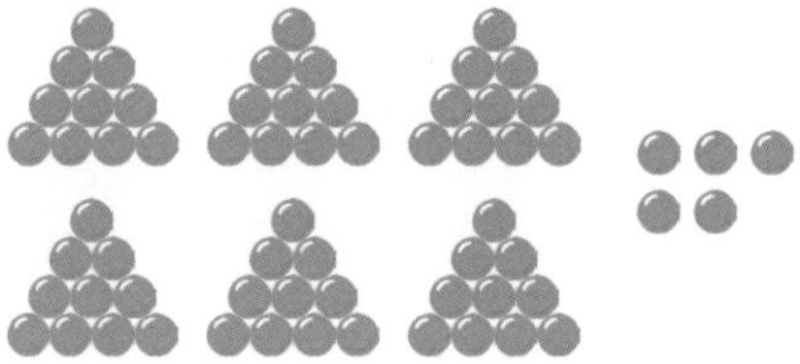

10개씩 묶음	낱개

➡ ☐

육십오, 예순다섯

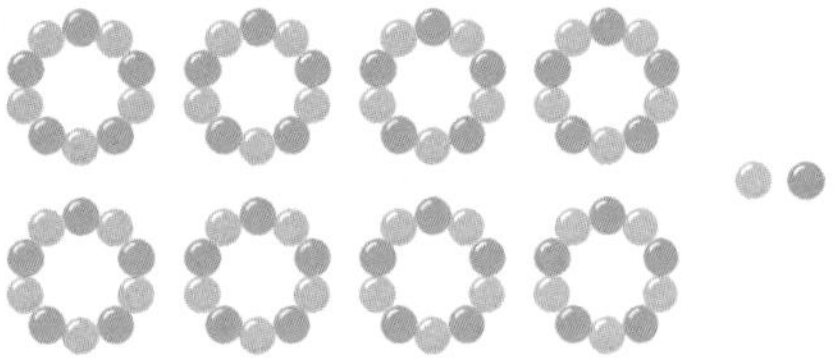

10개씩 묶음	낱개

➡ ☐

팔십이, 여든둘

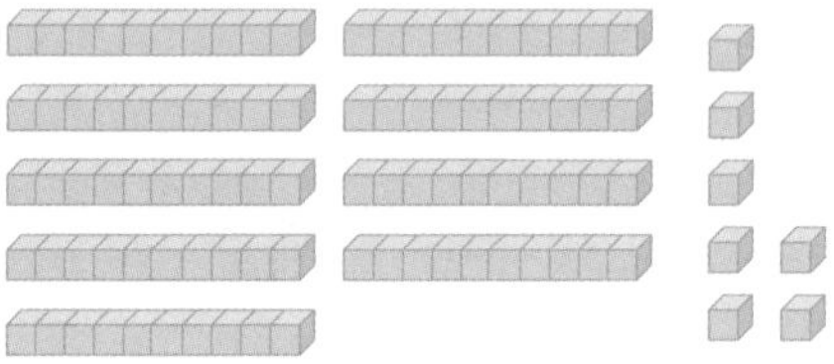

10개씩 묶음	낱개

➡ ☐

구십칠, 아흔일곱

빈칸을 알맞게 채우세요.

수	63	78		
읽기		칠십팔	구십육	팔십오

색칠한 칸의 개수를 세어 빈칸에 쓰세요.

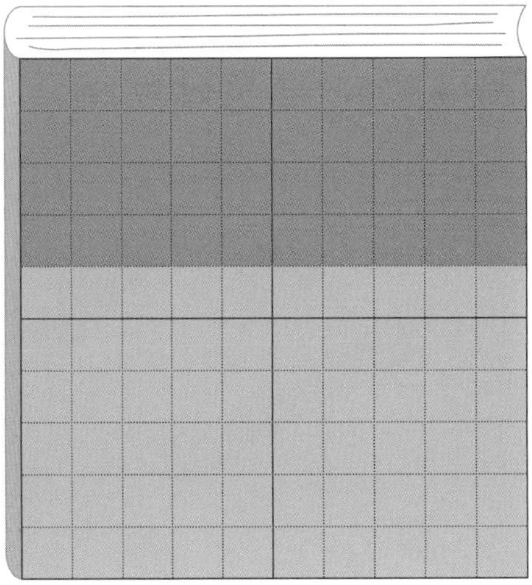

: 개, : 개

가로 10칸,
세로 10칸으로
모두 100칸이야!

100(백)이 뭐야?

99보다 1 큰 수야.

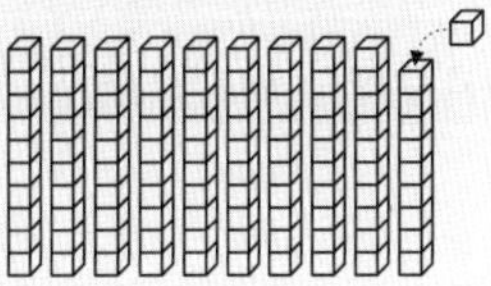

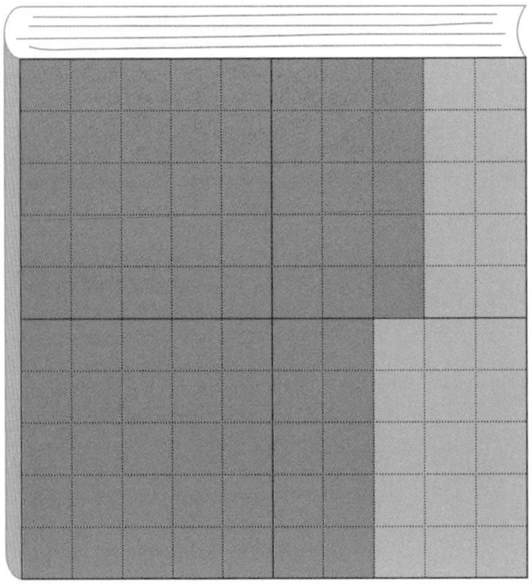

: 개, : 개

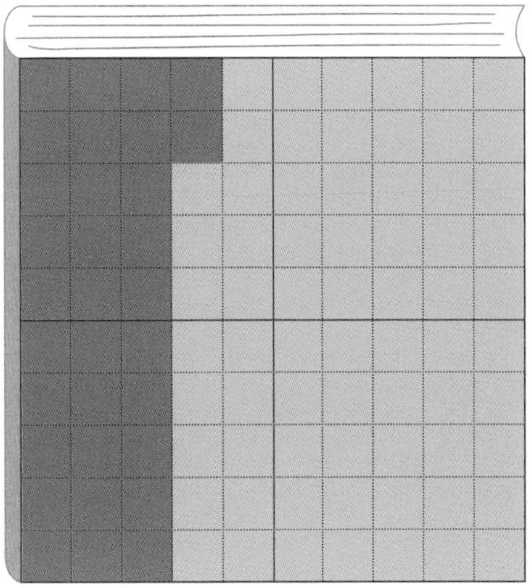

: 개, : 개

3일 몇 개입니까

10개씩 묶어 세면 정확히 셀 수 있어.

개수를 세어 보세요.

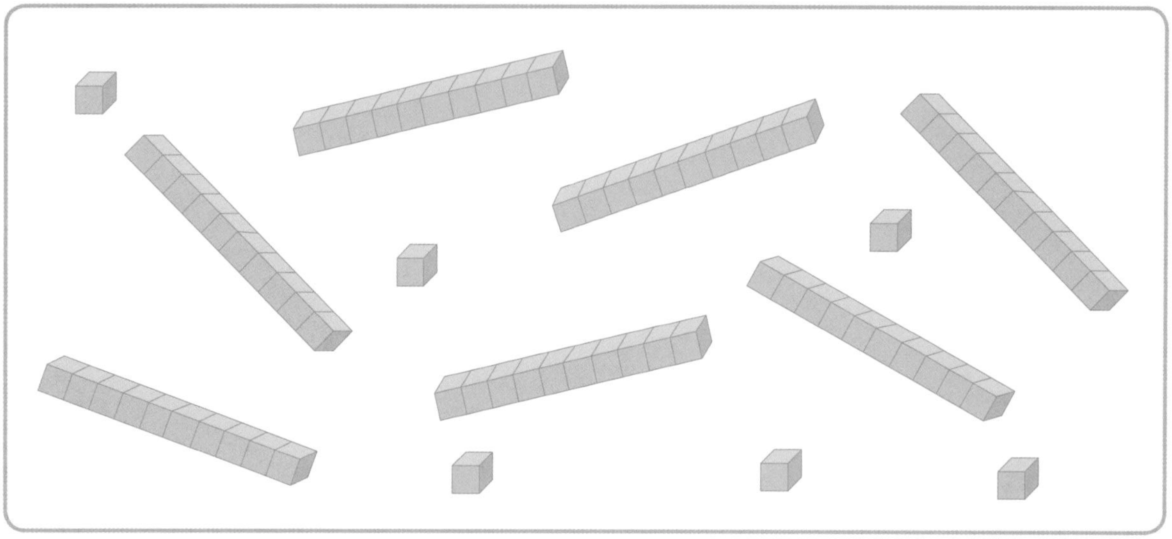

□개

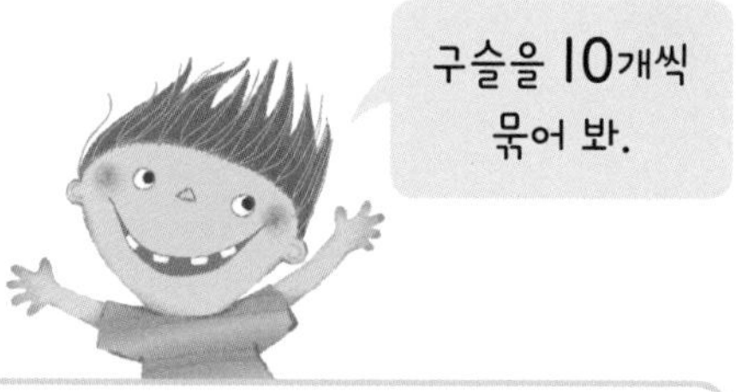
구슬을 10개씩
묶어 봐.

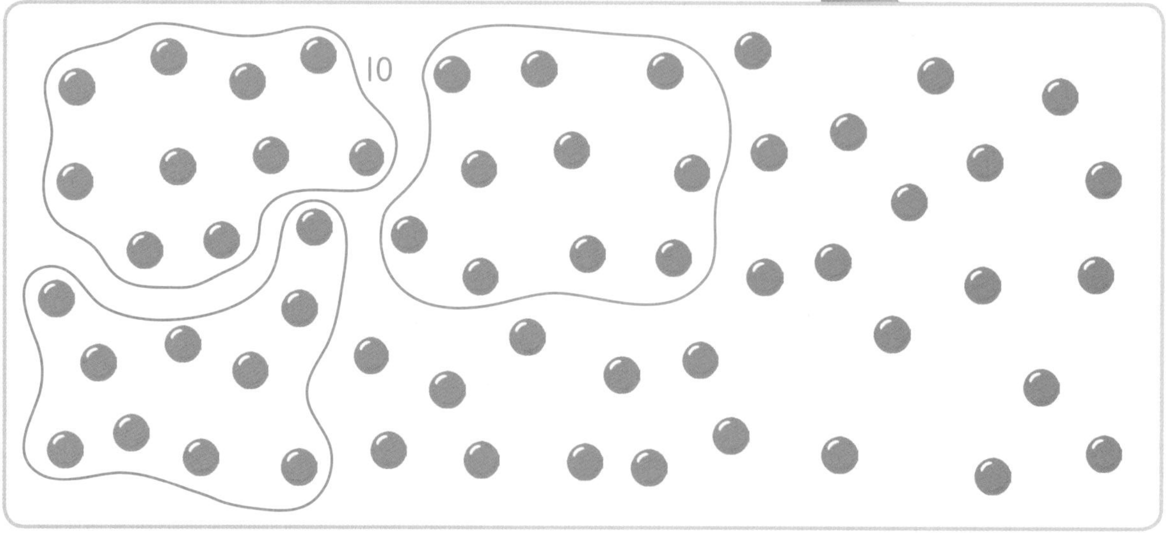
10

□개

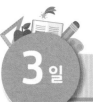

구슬의 개수를 세어 보세요.

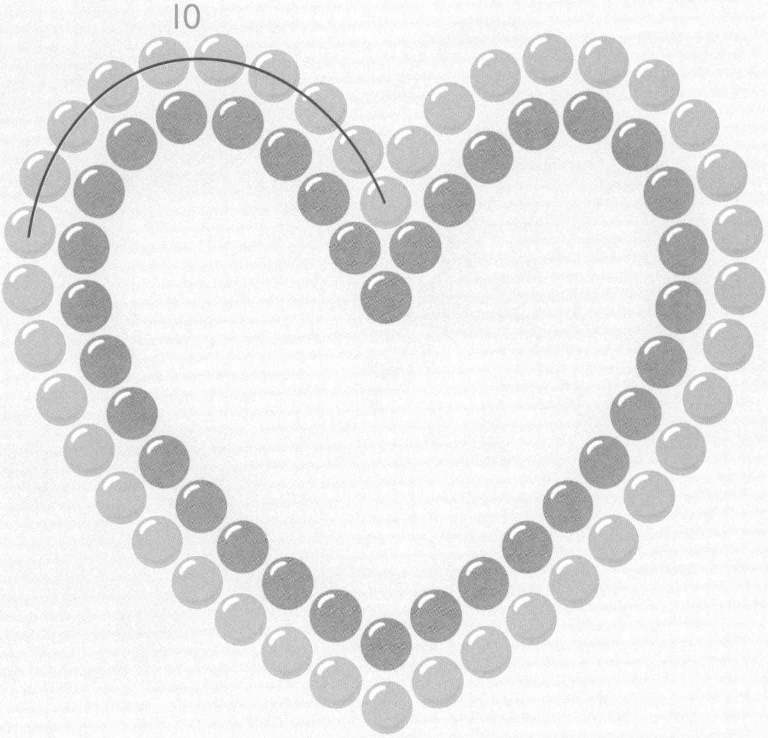
10

☐개

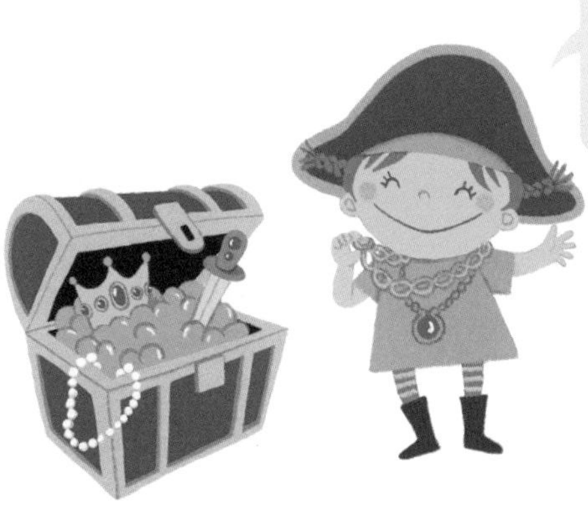
바깥쪽 구슬부터
10개씩 선으로
이어 봐.

➕ 얼마인지 금액을 쓰세요.

10 은 몇십을,
1 은 몇을 나타내.

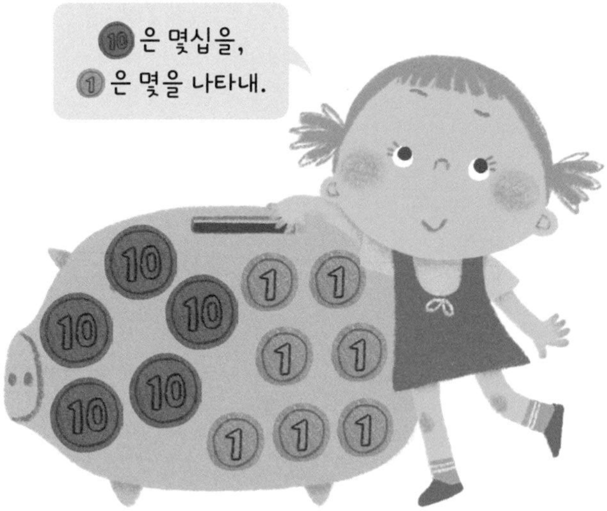

원

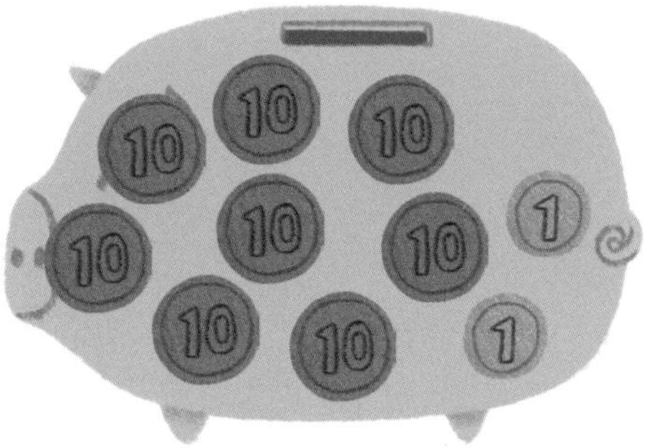

원

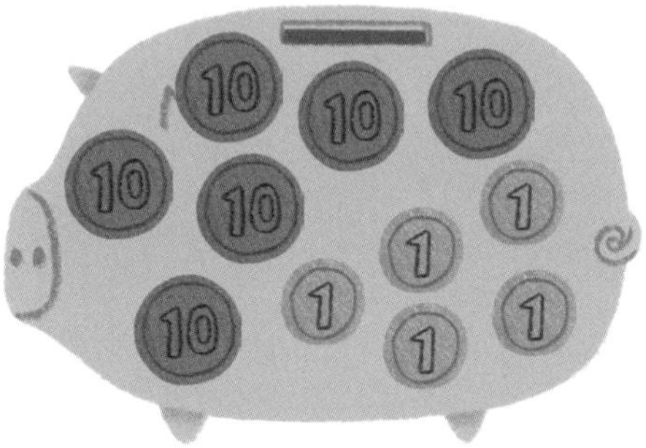

원

➕ 알맞은 금액에 ◯표 하세요.

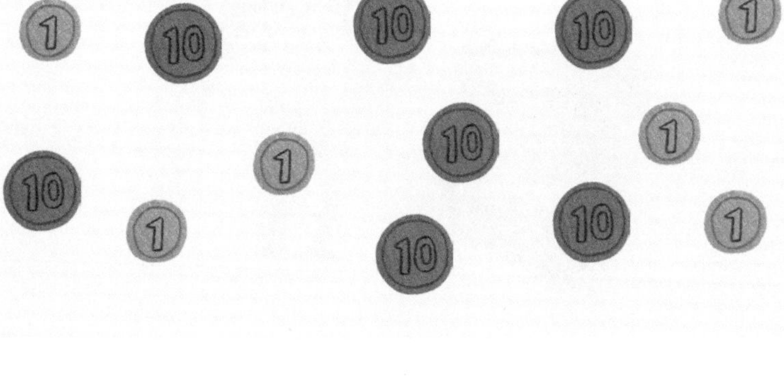

66원	76원
67원	75원

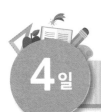

주어진 금액만큼 동전을 더 그리세요.

58원

86원

95원

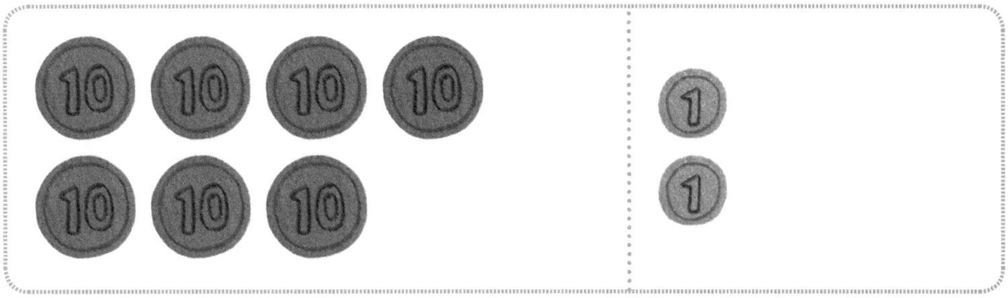

동전 모형은 수 모형을 더 간단히 나타낸 방법이야.

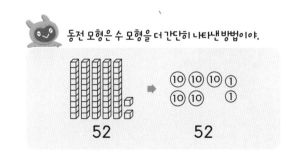

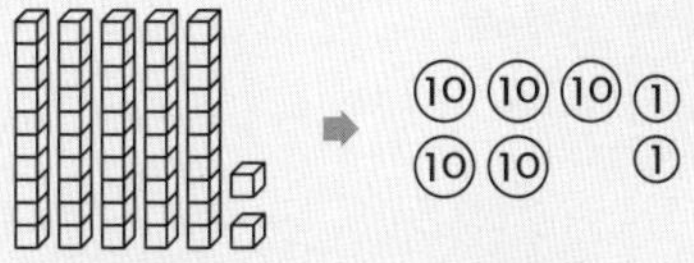

52 52

➕ 수 배열표의 빈칸에 알맞은 수를 쓰세요.

|씩 커져요 →

10씩 커져요 ↓

1	2	3	4	5	6	7	8	9	10
11	12	13	14	15	16	17	18	19	20
21	22	23		25	26	27	28	29	30
31	32		34	35	36	37	38	39	40
41		43	44	45	46	47	48	49	
51	52	53	54	55	56	57	58	59	
61	62	63	64	65	66			69	70
	72	73	74	75	76		78	79	80
81	82	83	84	85	86		88	89	90
91	92	93	94	95	96	97	98		100

내 자리가 어디더라?

10씩 작아져요 ↓

← |씩 작아져요

수 배열표에 숨겨진 규칙이 있어.

규칙

• 오른쪽으로 |칸 갈수록 |씩 커져요.
• 아래쪽으로 |칸 갈수록 10씩 커져요.
• 왼쪽으로 |칸 갈수록 |씩 작아져요.
• 위쪽으로 |칸 갈수록 10씩 작아져요.

수 배열표의 일부분이에요. 빈칸에 알맞은 수를 쓰세요.

45	46	
55		57
65	66	

62	63	
		74
		94

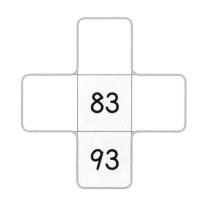

오른쪽으로 가면 1씩
아래쪽으로 가면 10씩 커져.

	83	
	93	

	76	77	
85	86		

		80
		90
	99	

확인 학습

✚ 세어 보고 수를 쓰세요.

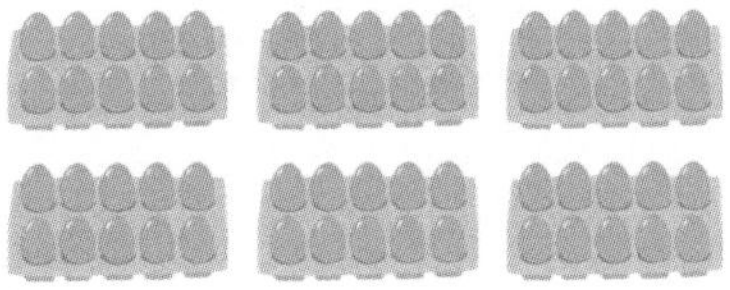

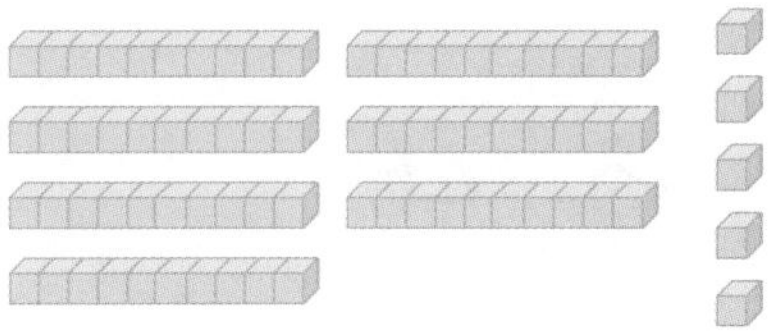

10개씩 묶음	낱개

➡ □

10개씩 묶음	낱개

➡ □

✚ 얼마인지 빈칸에 쓰세요.

□ 원

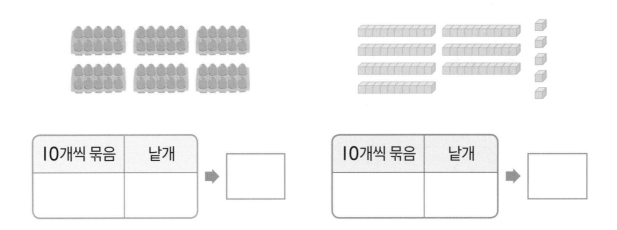

□ 원

✚ 수 배열표의 일부분이에요. 빈칸에 알맞은 수를 쓰세요.

64	65	66	67
		76	

2주

100까지의 수에서 뛰어 세기

학습 기준

- 1씩, 2씩, 10씩, 20씩 앞으로 뛰어 셀 수 있나요? ☐
- 1씩, 2씩, 10씩, 20씩 거꾸로 뛰어 셀 수 있나요? ☐
- 규칙을 찾아 뛰어 세기를 할 수 있나요? ☐

1일 1씩, 2씩 앞으로 뛰어 세기 연습을 많이 하면 수 감각이 좋아져.

🧩 1씩 또는 2씩 앞으로 뛰어 세어 빈칸에 알맞은 수를 쓰세요.

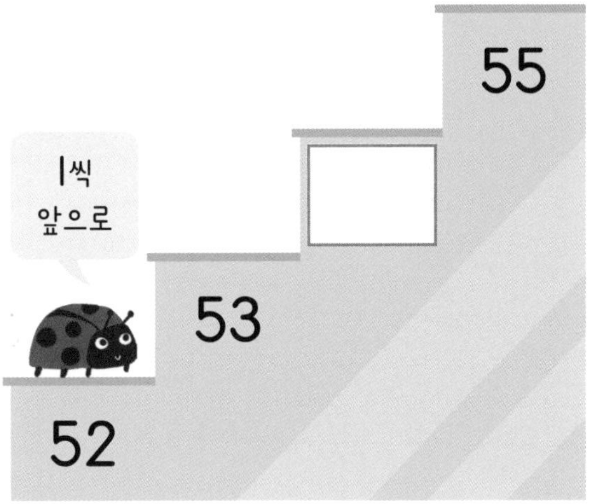

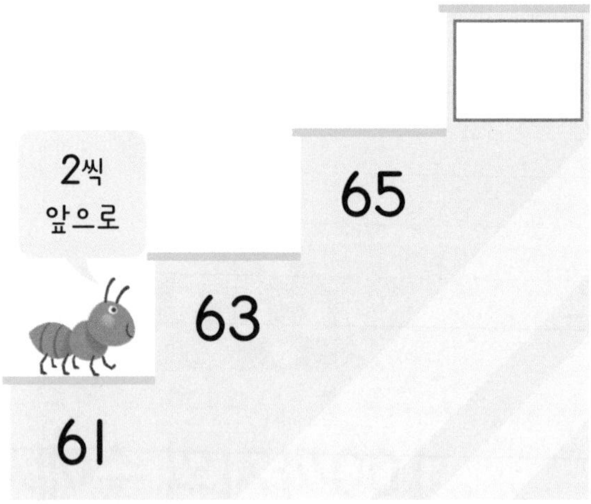

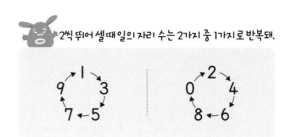

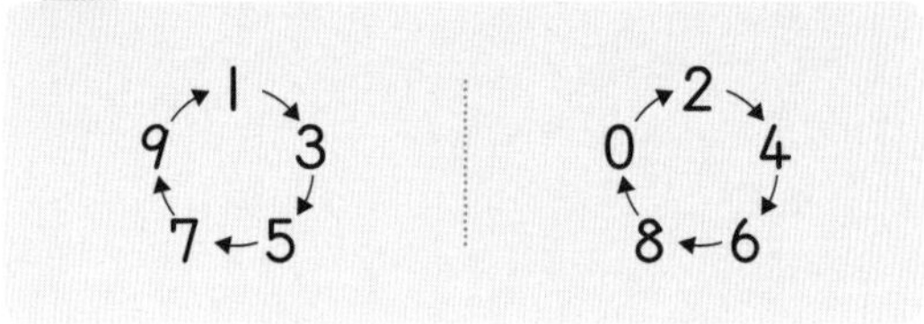

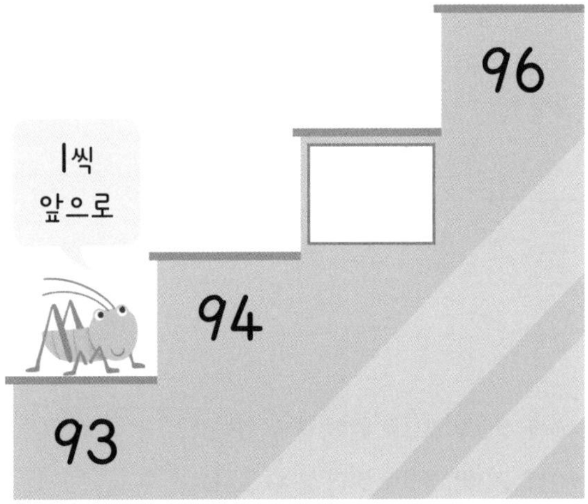

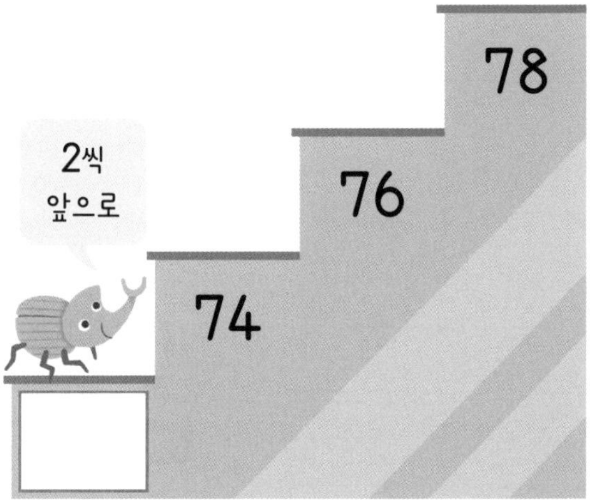

51부터 80까지 수를 순서대로 이으세요.

✚ 10씩, 20씩 앞으로 뛰어 세어 빈칸에 알맞은 수를 쓰세요.

10씩 앞으로

| 34 | 44 | 54 | | 74 |

20씩 앞으로

| 16 | 36 | 56 | 76 | |

10씩 앞으로

| 52 | 62 | | 82 | 92 |

20씩 앞으로

| 8 | | 48 | 68 | 88 |

10씩, 20씩 뛰어 셀 때 일의 자리 수는 변하지 않아.

7 → 17 → 27 → 37
7 → 27 → 47 → 67

✚ → 는 10씩 앞으로, → 는 20씩 앞으로 뛰어 센 수를 쓰세요.

14 → 24 → ⬜ → ⬜

21 → ⬜ → ⬜ → ⬜

✤ 10씩, 20씩 앞으로 뛰어 세어 강을 건너는 길을 그리세요.

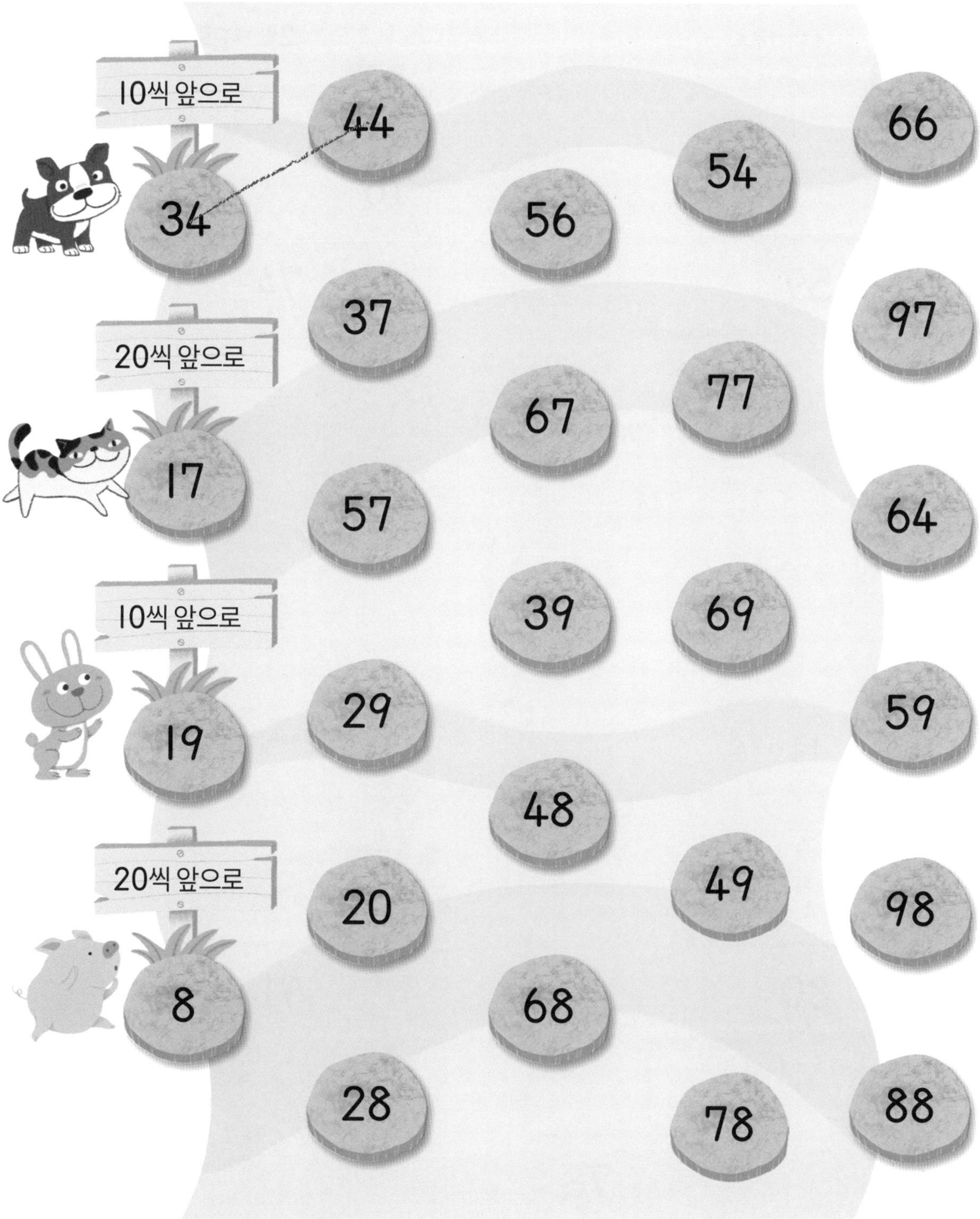
10씩 앞으로
34
44
56
54
66
20씩 앞으로
17
37
67
77
97
57
64
10씩 앞으로
19
39
69
29
59
48
20씩 앞으로
8
20
49
98
68
28
78
88

3일 1씩, 2씩 거꾸로

뛰어 세기도 앞으로 뛰어 세기와 같이 꾸준히 연습하자.

✚ 1씩, 2씩 거꾸로 뛰어 세어 빈칸에 알맞은 수를 쓰세요.

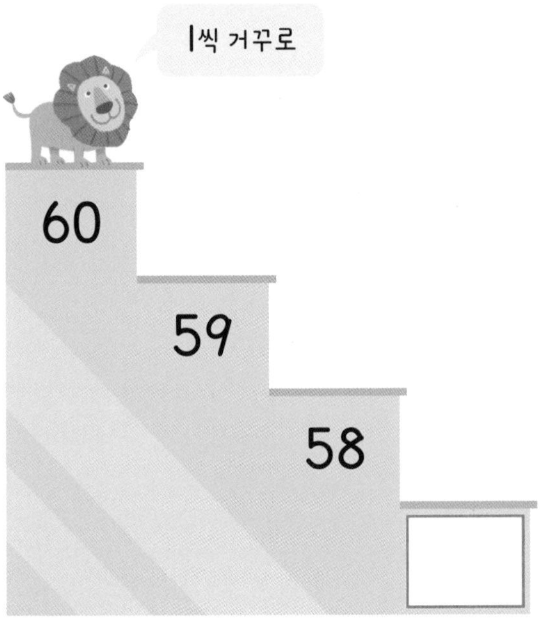

1씩 거꾸로
60
59
58

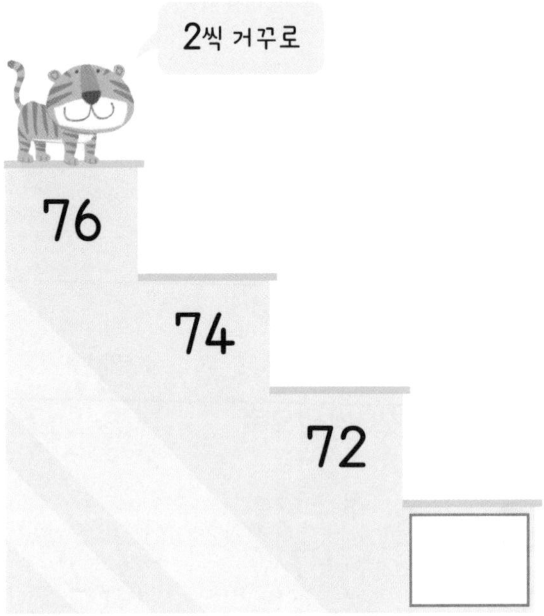

2씩 거꾸로
76
74
72

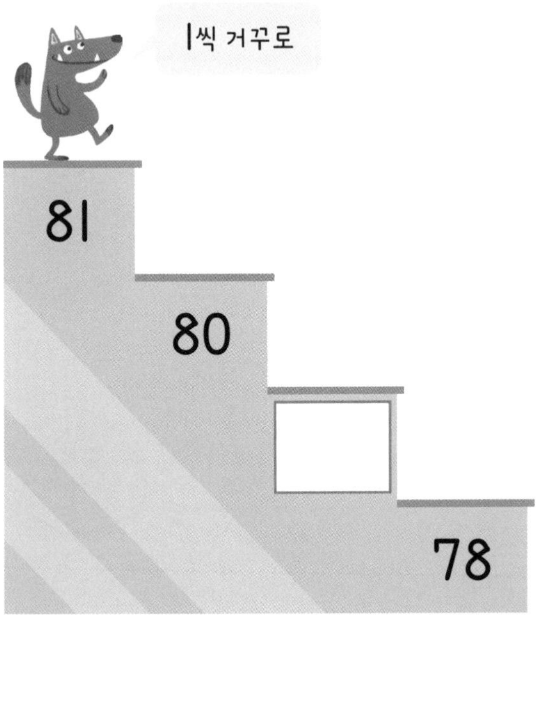

1씩 거꾸로
81
80
78

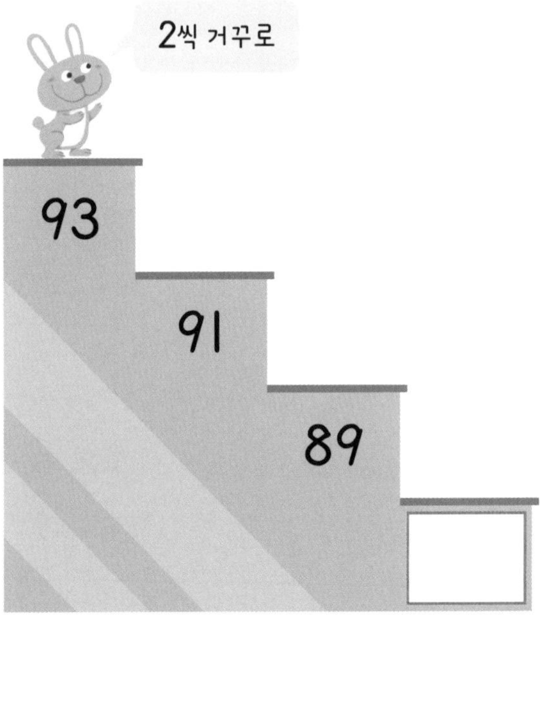

2씩 거꾸로
93
91
89

월 일

1씩, 2씩 거꾸로 뛰어 세어 미로를 통과하세요.

74	73	71	70	69	68
72	72	68	67	64	62
69	71	70	68	66	65
68	60	69	68	67	68

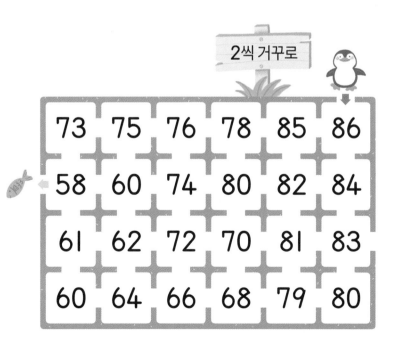

73	75	76	78	85	86
58	60	74	80	82	84
61	62	72	70	81	83
60	64	66	68	79	80

➕ 10씩, 20씩 거꾸로 뛰어 세어 수 배열표의 색칠한 곳에 알맞은 수를 쓰세요.

수 배열표에서
위로 1칸씩 올라가면
10씩 작아지고

위로 2칸씩 올라가면
20씩 작아져.

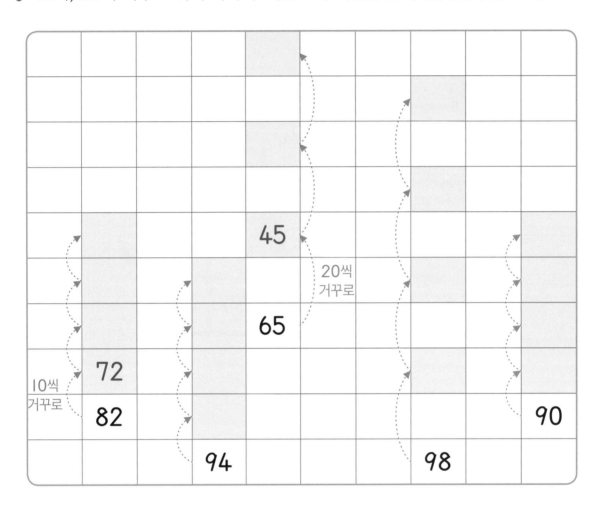

✚ 10씩, 20씩 거꾸로 뛰어 센 수를 빈칸에 쓰세요.

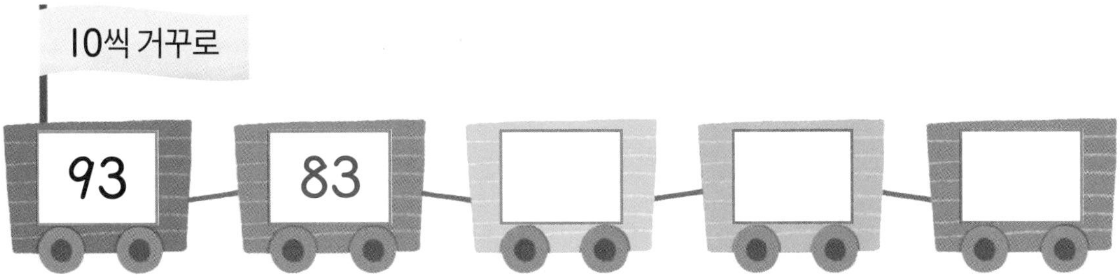
10씩 거꾸로
93
83

20씩 거꾸로
95

10씩 거꾸로
78
일의 자리 수는
항상 같지.

20씩 거꾸로
86

➕ 규칙을 찾아 빈칸에 알맞은 수를 쓰세요.

42	52	62		82

71	70	69	68	

16	36	56	76	

52	54		58	60

82	72	62		42

90		86	84	82

수가 커지는지 작아지는지,
또 얼마씩 뛰어
세는지도 알아봐.

➕ 규칙이 같도록 빈칸에 알맞은 수를 쓰세요.

| 23 | — | 25 | — | 27 | — | 29 | — | 31 |

| 62 | — | ☐ | — | ☐ | — | ☐ | — | ☐ |

규칙적으로 뛰어 센 수를 모아 놓았어요. 잘못 들어간 수에 ✕표 하세요.

54
57 59
56 55

72
78 76
74 77

작은 수부터
차례로 놓아 보면
규칙이 보일 거야.

26
66 36
46 86

62
83 92

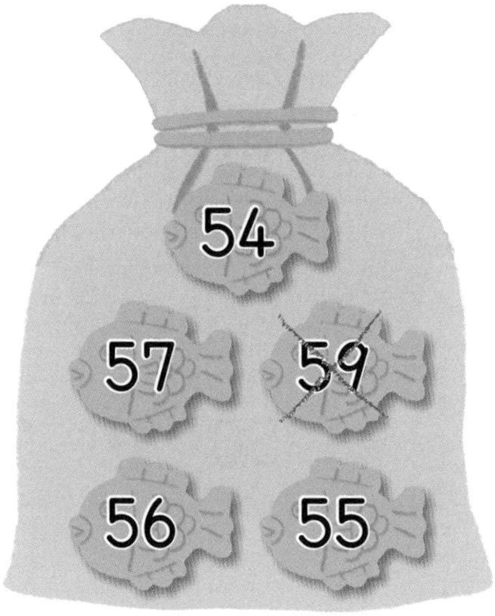

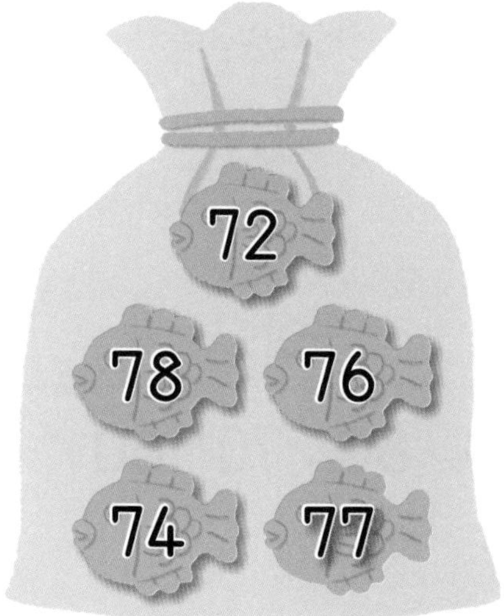

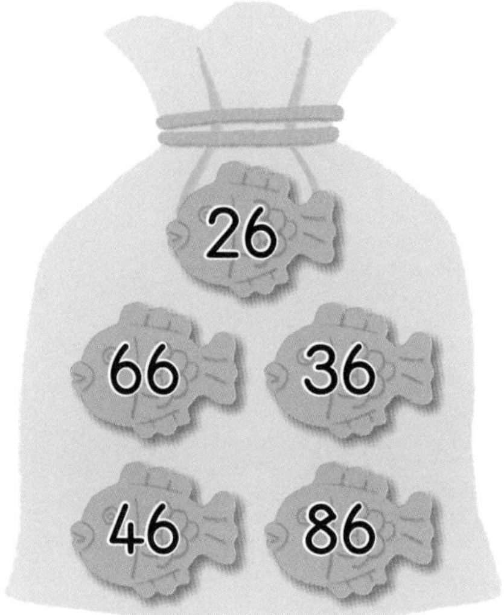

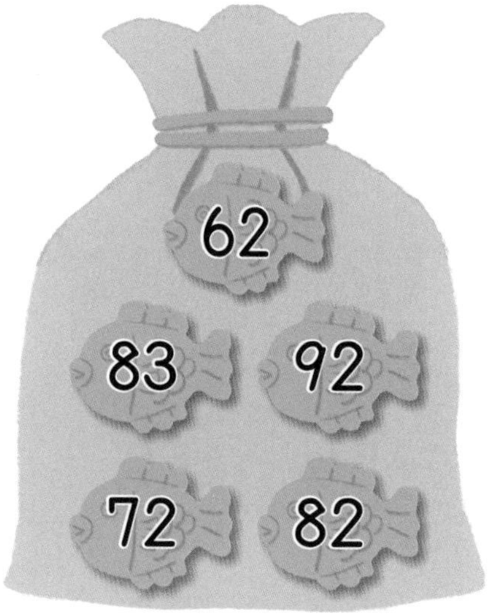

확인 학습

✚ 뛰어 세어 빈칸에 알맞은 수를 쓰세요

1씩 앞으로

67	68	69		71

2씩 거꾸로

85	83	81	79	

10씩 거꾸로

90	80	70	60	

20씩 앞으로

10		50	70	90

✚ 규칙적으로 뛰어 센 수를 모아 놓았어요. 잘못 들어간 수에 ╳표 하세요.

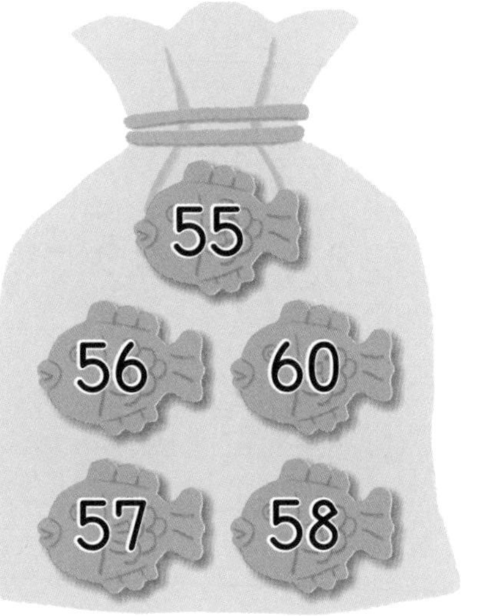

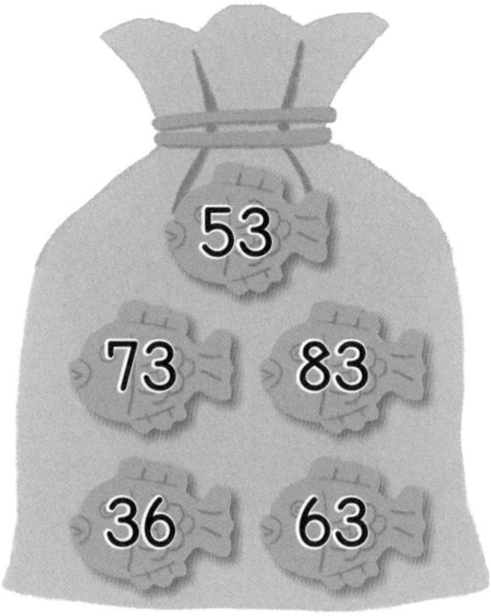

3주

받아올림 없는 두 자리 수의 덧셈

학습 기준

- 두 자리 수의 가로 덧셈을 할 수 있나요? □
- 두 자리 수의 세로 덧셈을 할 수 있나요? □
- □가 있는 두 자리 수의 덧셈에서 □를 구할 수 있나요? □

1일

몇십몇+몇십

몇십끼리 더한 후 나머지 몇을 더해.

동전을 이용하여 덧셈을 하세요.

24 + 30 = 54

10원이 5개,
1원이 4개인 수야.

41 + 40 = □

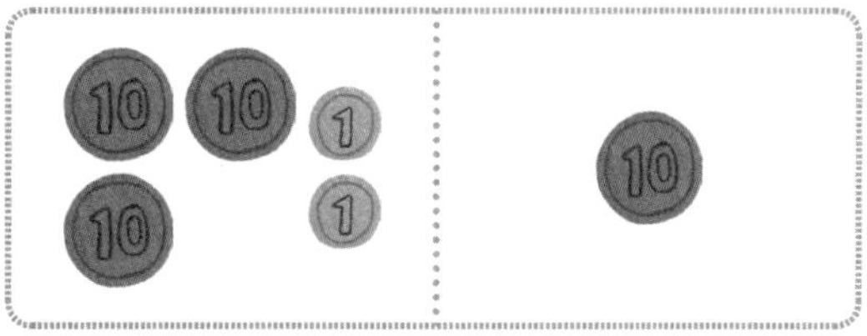

32 + 10 = □

15 + 60 = □

계산을 하세요.

34 + 20 → □
34 + 30 → □
34 + 40 → □

65 + 20 → □
66 + 20 → □
67 + 20 → □

월 일

관계있는 물고기와 선으로 이으세요.

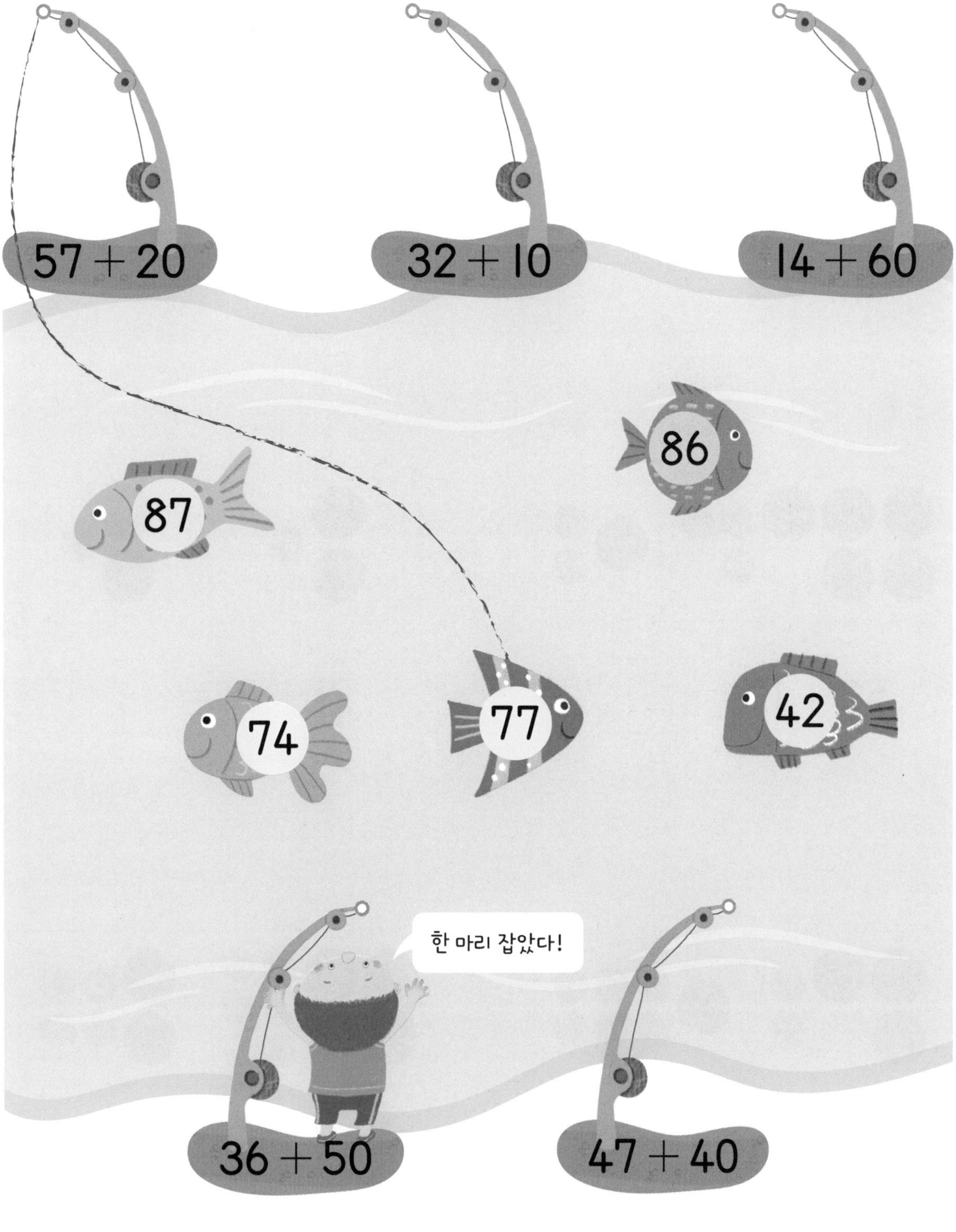

2일 몇십몇+몇십몇

몇십끼리 더하여 십의 자리에, 몇끼리 더하여 일의 자리에 써.

동전을 이용하여 덧셈을 하세요.

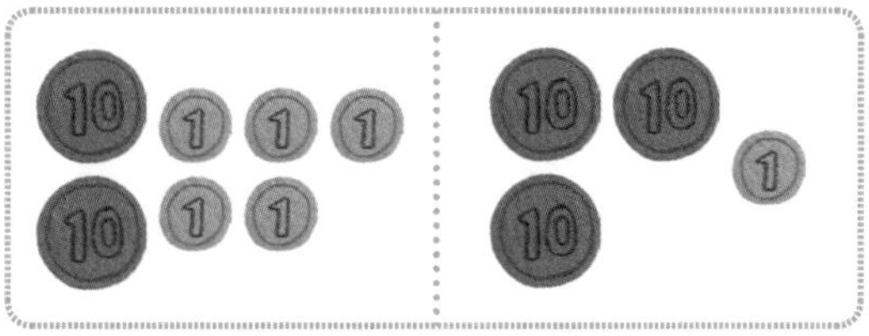

$25 + 31 =$ 56

10원짜리의 개수는 십의 자리에,
1원짜리의 개수는 일의 자리에 써.

$53 + 12 =$ □

$21 + 21 =$ □

$32 + 16 =$ □

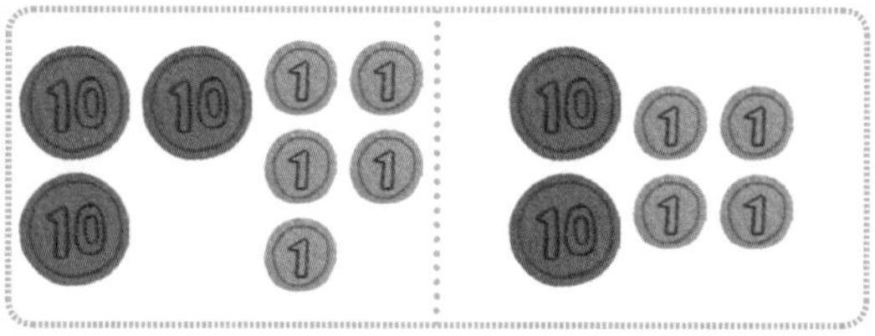

$35 + 24 =$ □

덧셈을 하세요.

일의 자리

32 + 15 = 4 7

십의 자리

일의 자리

25 + 31 = ☐

십의 자리

54 + 44 = ☐

61 + 12 = ☐

25 + 63 = ☐

35 + 31 = ☐

합이 지붕 위의 수가 되는 두 수를 모두 찾아 선으로 이으세요.

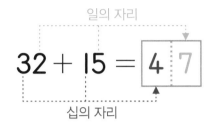

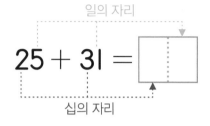

3일 **세로셈** 같은 자리의 수끼리 세로로 더해 봐. 답이 한눈에 보이지 않니?

➕ 세로셈으로 덧셈을 하세요.

⬇ 십의 자리 수끼리 더해요.

40

⬇ 일의 자리 수끼리 더해요.

5

십 일

$$\begin{array}{r} 1\ 3 \\ +\ 3\ 2 \\ \hline 4\ 5 \end{array}$$

$$\begin{array}{r} 2\ 4 \\ +\ 1\ 2 \\ \hline \end{array}$$

$$\begin{array}{r} 3\ 0 \\ +\ 4\ 5 \\ \hline \end{array}$$

$$\begin{array}{r} 6\ 3 \\ +\ 2\ 3 \\ \hline \end{array}$$

$$\begin{array}{r} 5\ 7 \\ +\ 3\ 1 \\ \hline \end{array}$$

$$\begin{array}{r} 4\ 2 \\ +\ 2\ 7 \\ \hline \end{array}$$

$$\begin{array}{r} 1\ 5 \\ +\ 6\ 4 \\ \hline \end{array}$$

➕ 관계있는 것끼리 선으로 이으세요.

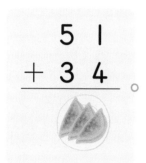

```
  5 1
+ 3 4
```

```
  7 5
+ 1 2
```

```
  1 3
+ 6 5
```

```
  2 4
+ 4 3
```

```
  4 3
+ 4 3
```

```
  4 2
```

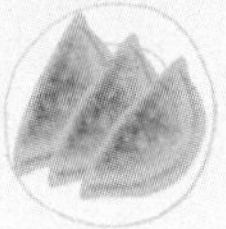

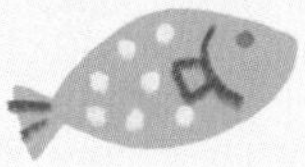

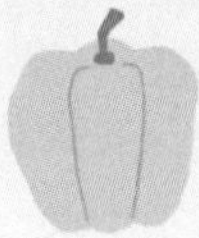

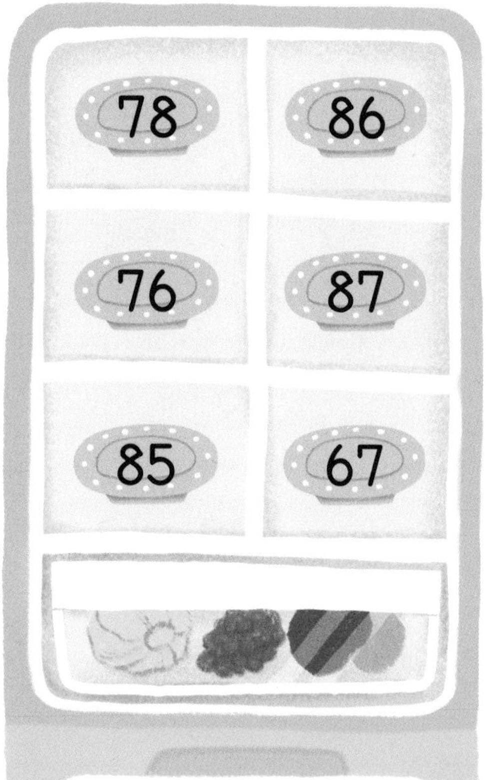

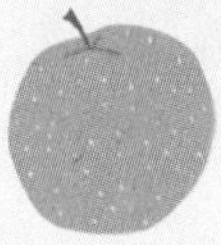

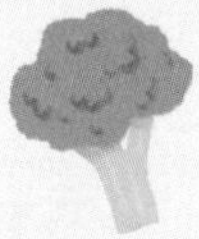

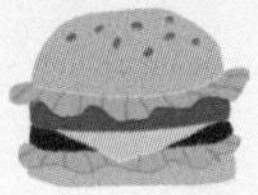

4일 두 자리 수의 덧셈 연습

지금까지 두 자리 수의 덧셈을 잘 공부했는지 알아볼까?

알맞은 길을 그리세요.

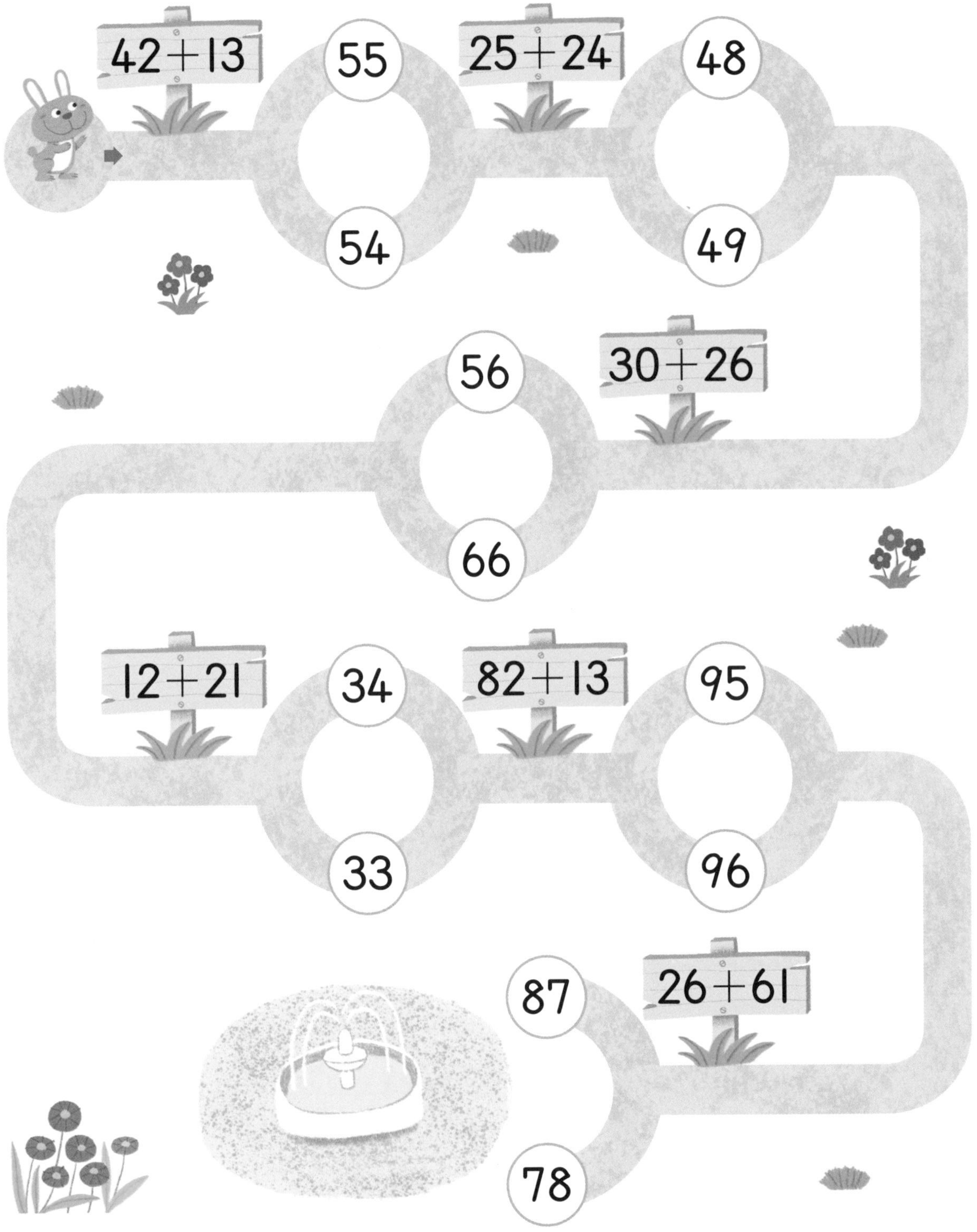

✚ 같은 모양에 있는 수끼리 더하여 같은 모양 안에 쓰세요.

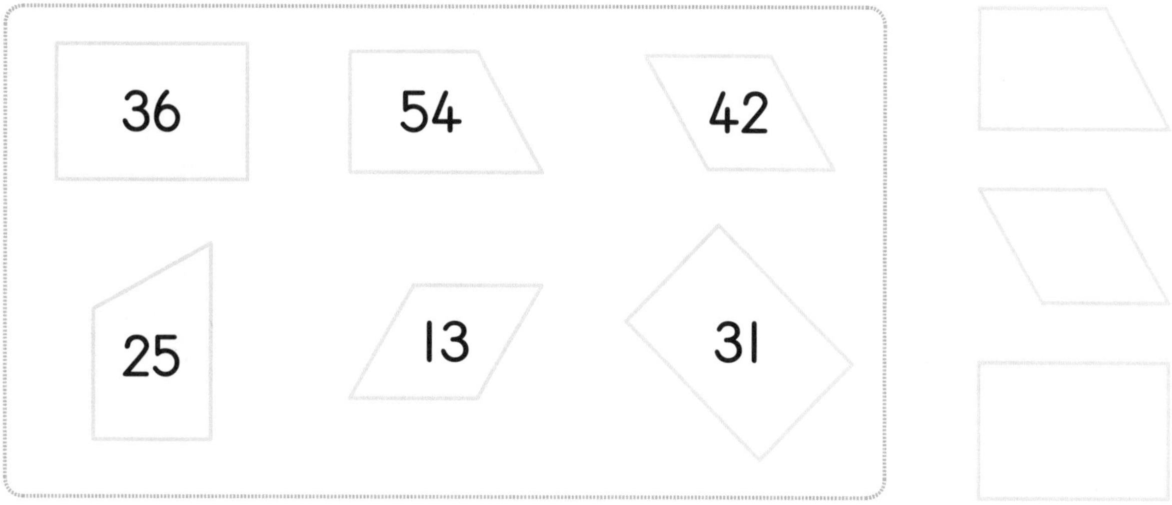

✚ 알맞은 수에 색칠하세요.

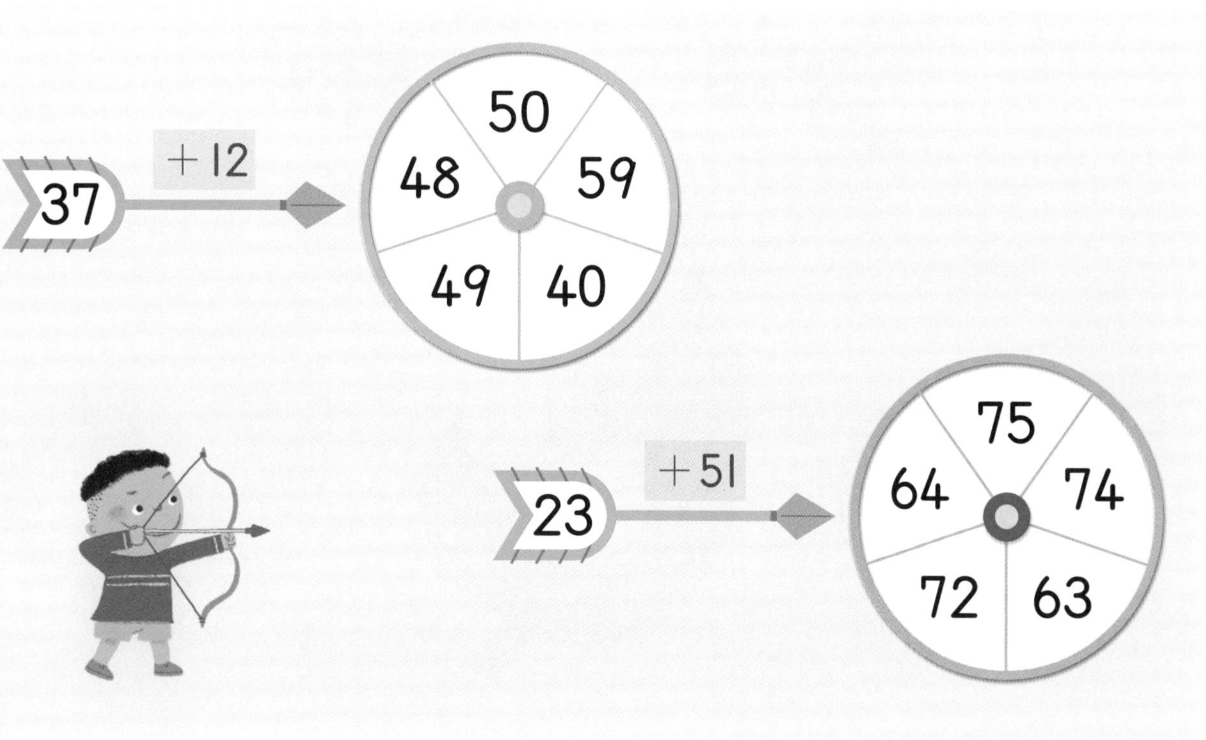

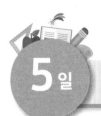

5일 □가 있는 덧셈 세로식과 가로식에서 각각 없어진 수 □를 찾아봐.

🟦 빈 곳에 알맞은 수를 쓰세요.

내가 먹은 숫자는 뭘까요?

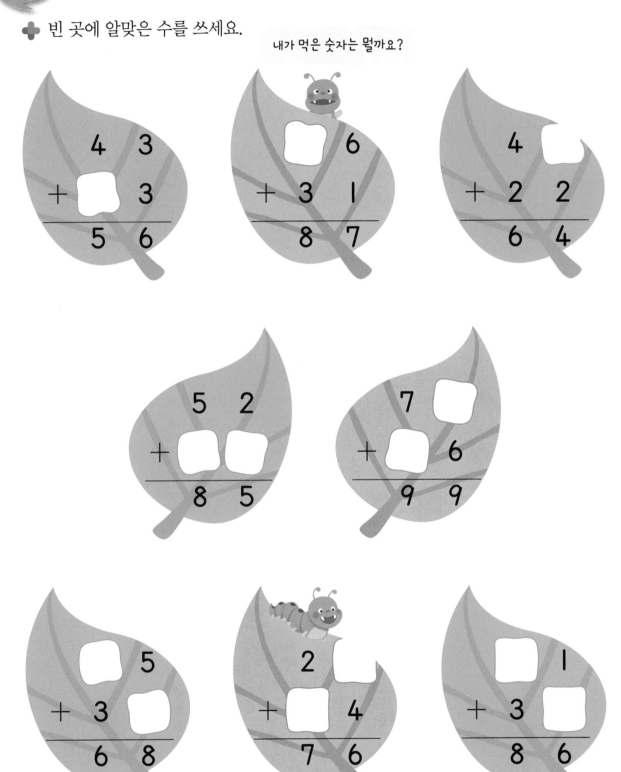

빈칸에 알맞은 수를 쓰세요.

32	+		=	56
+				+
15				
=				=
	+		=	68

가장 먼저 알 수 있는 칸부터 채워 봐.

또 수가 얼마나 커졌는지 같은 자리의 수끼리 비교도 해 보고 ~

	+	53	=	
+				+
32				
=				=
58	+		=	99

➕ 덧셈을 하세요.

$15 + 20 =$ ☐ $40 + 13 =$ ☐

$53 + 14 =$ ☐ $36 + 42 =$ ☐

```
   1 3          6 2          4 4
 + 1 2        + 3 5        + 2 0
 ─────        ─────        ─────
 [   ]        [   ]        [   ]
```

➕ 빈 곳에 알맞은 수를 쓰세요.

```
   4 □
 + 2 3
 ─────
   6 4
```

```
   □ 5
 + 3 □
 ─────
```

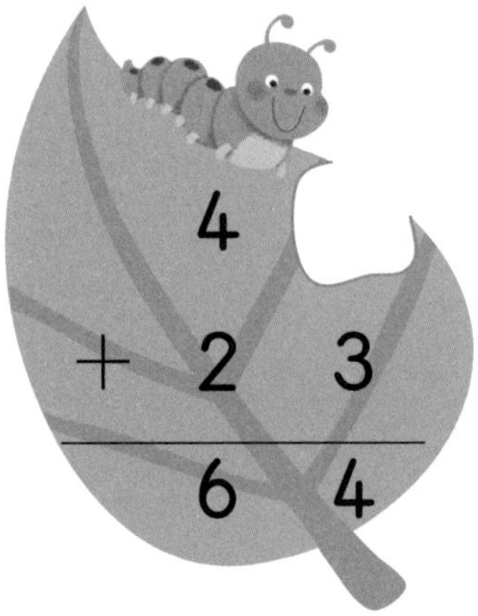

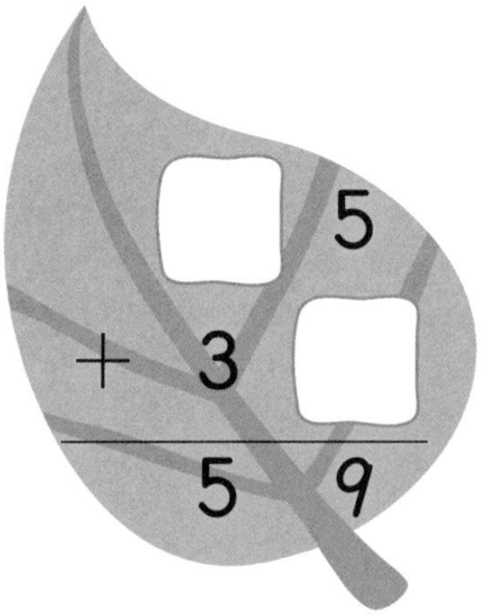

4주

받아내림 없는 두 자리 수의 뺄셈

학습 기준

- 두 자리 수의 가로 뺄셈을 할 수 있나요? □
- 두 자리 수의 세로 뺄셈을 할 수 있나요? □
- □가 있는 두 자리 수의 뺄셈에서 □를 구할 수 있나요? □

1일 몇십몇-몇십 몇십끼리 뺀 후 나머지 몇을 더해.

동전을 보고 뺄셈을 하세요.

35 − 20 = 15

72 − 30 = ☐

89 − 60 = ☐

빈 곳에 알맞은 수를 쓰세요.

43	− 20 →	23
25		
71		

52	− 50 →	
68		
94		

바구니와 관계있는 별을 선으로 이으세요.

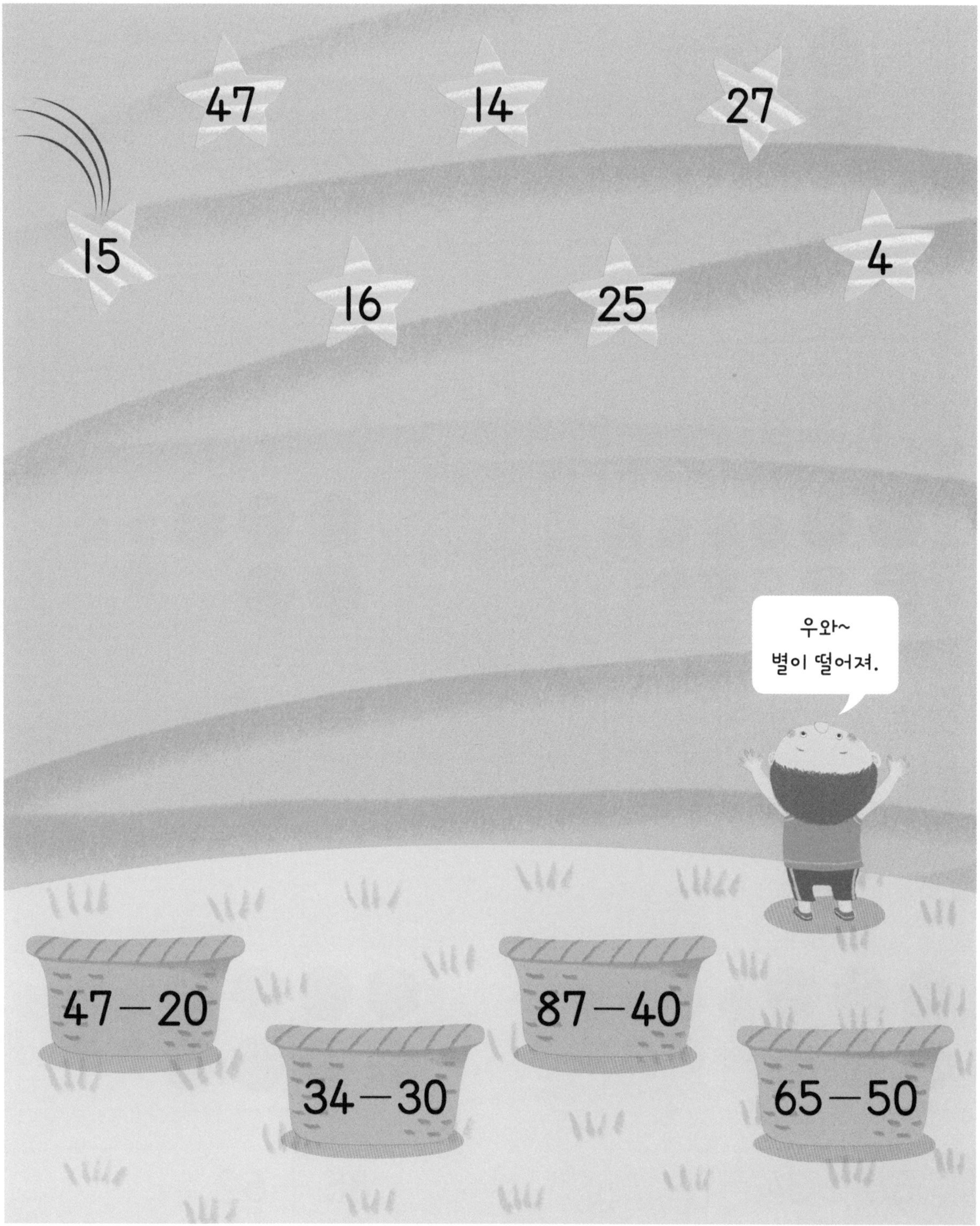

➕ 동전을 /으로 지워 뺄셈을 하세요.

지우고 남은
동전의 금액을
써야 해.

$$25 - 12 = \boxed{13}$$

$$47 - 21 = \boxed{}$$

$$53 - 13 = \boxed{}$$

$$68 - 34 = \boxed{}$$

$$85 - 62 = \boxed{}$$

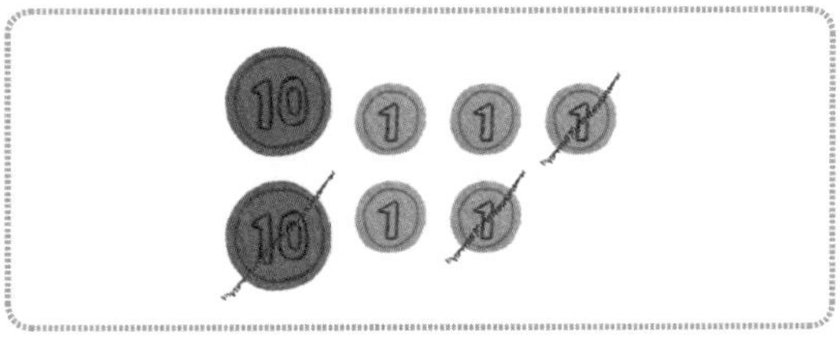

✚ 뺄셈을 하세요.

76 − 42 = ☐

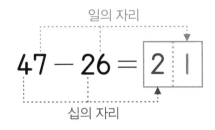

54 − 44 = ☐

35 − 20 = ☐

89 − 63 = ☐

68 − 17 = ☐

✚ 빈칸에 알맞은 수를 쓰세요.

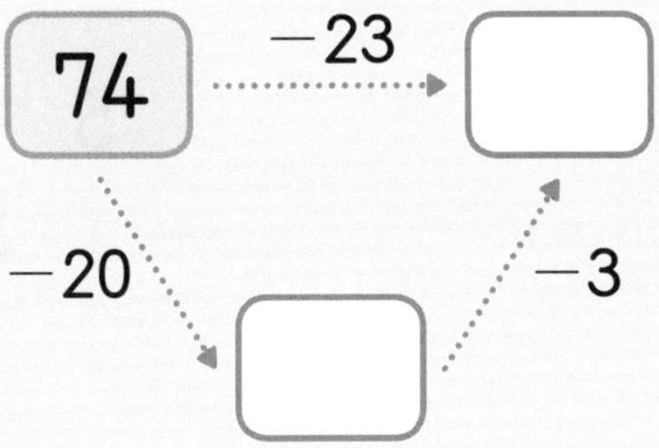

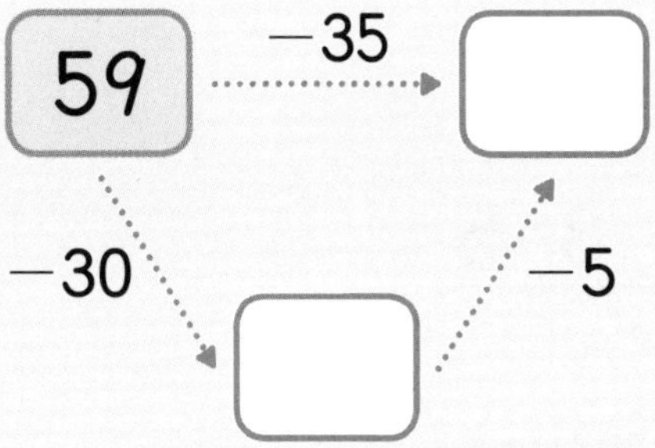

세로셈 은 자리만 맞추어 쓰면 답이 한눈에 보여서 가로셈보다 더 쉬워.

➕ 세로셈으로 뺄셈을 하세요.

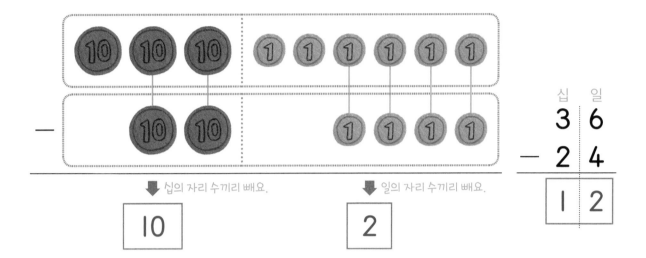

⬇ 십의 자리 수끼리 빼요.

⬇ 일의 자리 수끼리 빼요.

	십	일
	3	6
−	2	4
	1	2

$$\begin{array}{r} 10 \end{array}$$

$$\begin{array}{r} 2 \end{array}$$

$$\begin{array}{r} 5\ 9 \\ -\ 2\ 3 \\ \hline \end{array}$$

$$\begin{array}{r} 6\ 7 \\ -\ 5\ 2 \\ \hline \end{array}$$

$$\begin{array}{r} 9\ 5 \\ -\ 1\ 1 \\ \hline \end{array}$$

$$\begin{array}{r} 4\ 6 \\ -\ 3\ 5 \\ \hline \end{array}$$

$$\begin{array}{r} 8\ 8 \\ -\ 4\ 6 \\ \hline \end{array}$$

$$\begin{array}{r} 5\ 7 \\ -\ 1\ 4 \\ \hline \end{array}$$

계산하여 주어진 수가 나오는 식에 색칠하세요.

22

$$\begin{array}{r} 7\ 2 \\ -\ 5\ 1 \\ \hline \end{array}$$

$$\begin{array}{r} 5\ 3 \\ -\ 3\ 1 \\ \hline \end{array}$$

$$\begin{array}{r} 4\ 8 \\ -\ 2\ 4 \\ \hline \end{array}$$

22가 나오는
식에 색칠해.

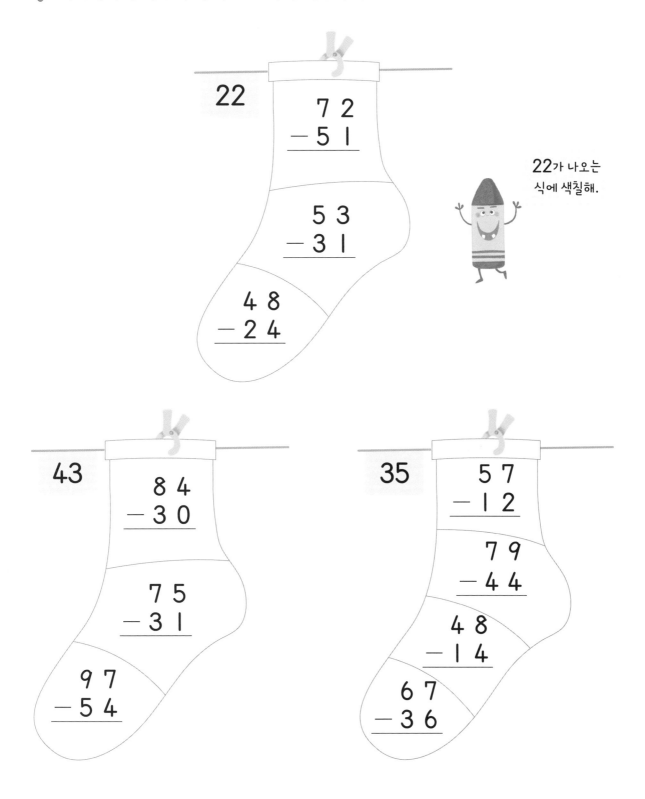

43

$$\begin{array}{r} 8\ 4 \\ -\ 3\ 0 \\ \hline \end{array}$$

$$\begin{array}{r} 7\ 5 \\ -\ 3\ 1 \\ \hline \end{array}$$

$$\begin{array}{r} 9\ 7 \\ -\ 5\ 4 \\ \hline \end{array}$$

35

$$\begin{array}{r} 5\ 7 \\ -\ 1\ 2 \\ \hline \end{array}$$

$$\begin{array}{r} 7\ 9 \\ -\ 4\ 4 \\ \hline \end{array}$$

$$\begin{array}{r} 4\ 8 \\ -\ 1\ 4 \\ \hline \end{array}$$

$$\begin{array}{r} 6\ 7 \\ -\ 3\ 6 \\ \hline \end{array}$$

4일 두 자리 수의 뺄셈 연습 자리만 맞추어 빼면 어렵지 않아.

✚ 알맞은 수를 찾아 ╳표 하세요.

같은 자리의 수끼리 빼야 해.
16
26
25
15
39 − 23
54
34
44
35
65 − 31
43
62
53
42
78 − 36

계산 결과를 모두 찾아 색칠하세요.

52－21

68－33

74－52

97－24

49－31

8	32	45	53	22
73	24	41	71	62
34	28	42	31	25
23	52	36	19	18
17	35	51	72	21

차가 가운데 수가 되는 두 수에 색칠하세요.

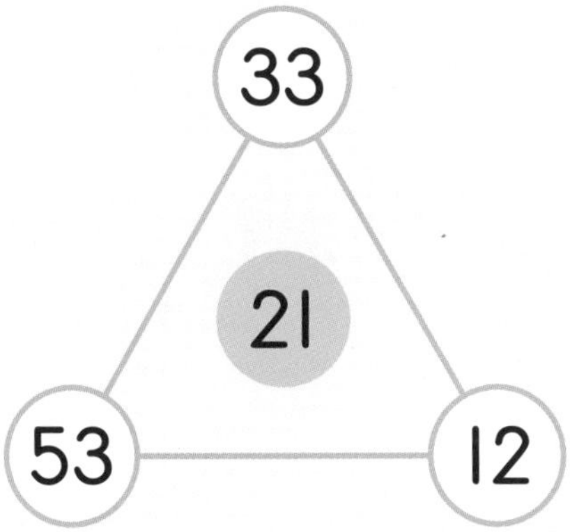

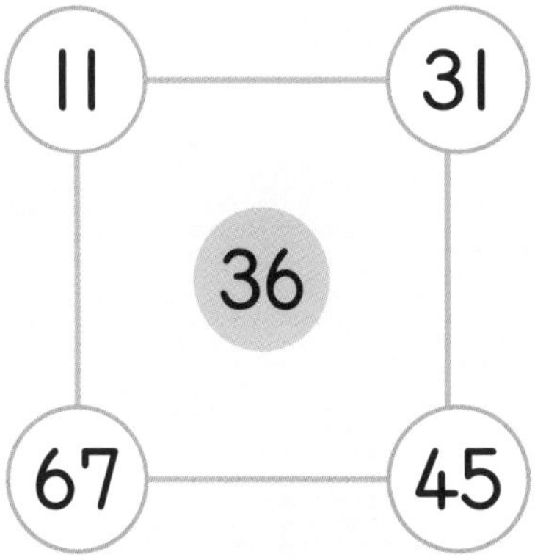

5일 □가 있는 뺄셈

세로식과 가로식에서 각각 없어진 수 □를 찾아봐.

빈 곳에 알맞은 수를 쓰세요.

$$\begin{array}{r} 3\;5 \\ -\;\square\;2 \\ \hline 1\;3 \end{array}$$

$$\begin{array}{r} \square\;7 \\ -\;2\;3 \\ \hline 5\;4 \end{array}$$

$$\begin{array}{r} 4\;\square \\ -\;1\;1 \\ \hline 3\;6 \end{array}$$

$$\begin{array}{r} 7\;9 \\ -\;\square\;\square \\ \hline 4\;2 \end{array}$$

$$\begin{array}{r} 4\;\square \\ -\;\square\;6 \\ \hline 1\;2 \end{array}$$

$$\begin{array}{r} \square\;7 \\ -\;4\;\square \\ \hline 2\;2 \end{array}$$

$$\begin{array}{r} 7\;\square \\ -\;\square\;1 \\ \hline 3\;6 \end{array}$$

$$\begin{array}{r} \square\;9 \\ -\;2\;\square \\ \hline 6\;5 \end{array}$$

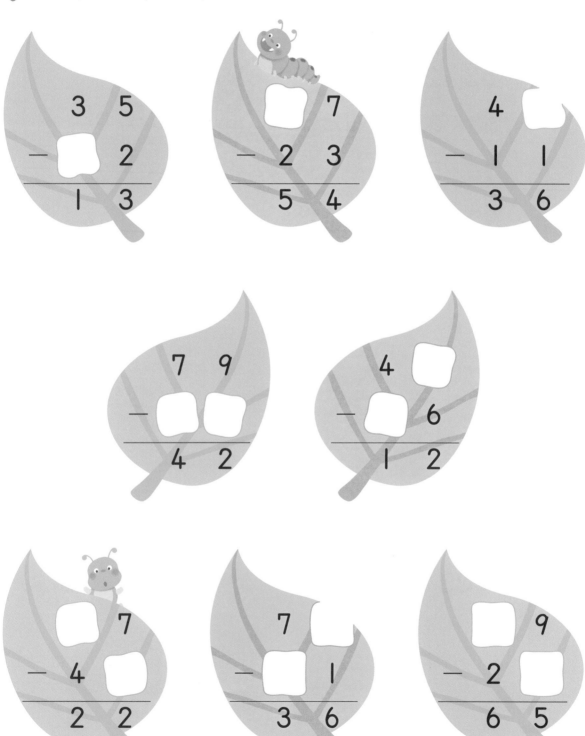

가로 열쇠와 세로 열쇠를 풀어 빈칸에 알맞은 수를 쓰세요.

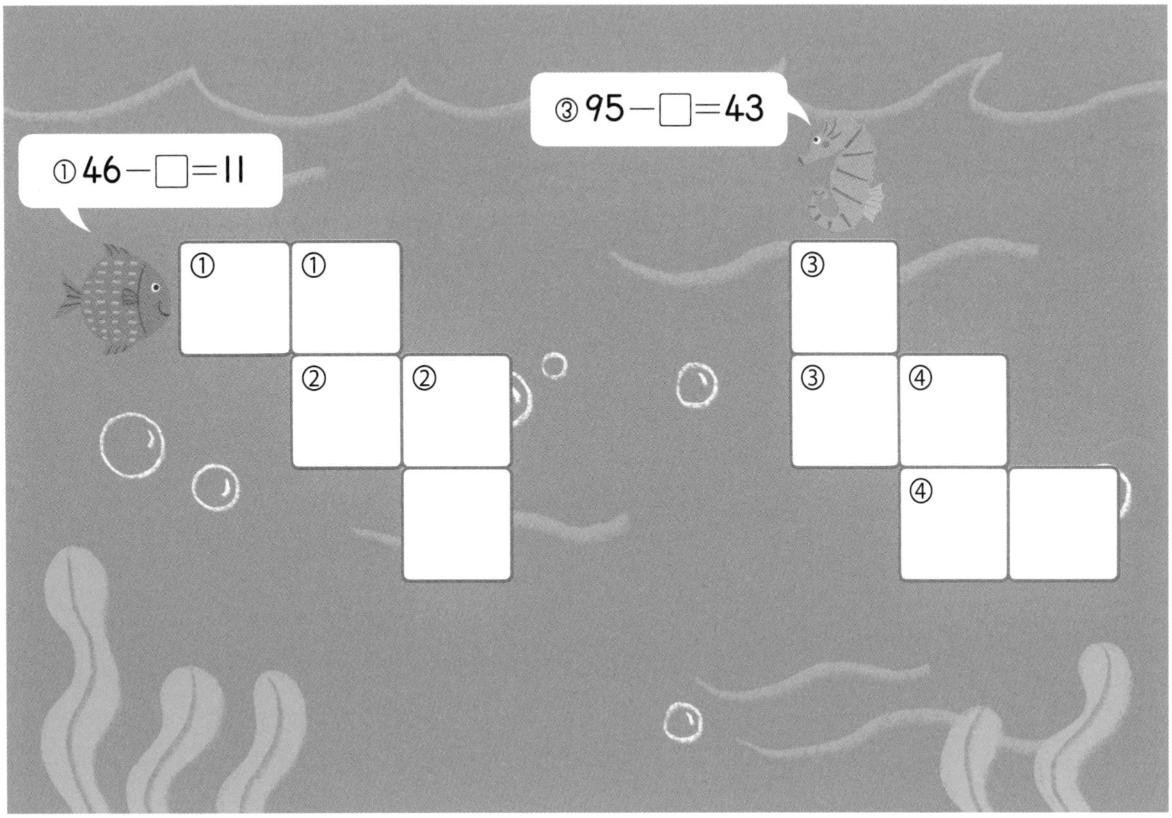

가로 열쇠
① $46 - \boxed{} = 11$
② $\boxed{} - 64 = 10$
③ $57 - \boxed{} = 34$
④ $\boxed{} - 41 = 53$

세로 열쇠
① $78 - \boxed{} = 21$
② $\boxed{} - 31 = 17$
③ $95 - \boxed{} = 43$
④ $\boxed{} - 14 = 25$

확인 학습

✤ 뺄셈을 하세요.

$64 - 20 = \square$ $\quad$ $47 - 35 = \square$

$38 - 12 = \square$ $\quad$ $89 - 24 = \square$

$$\begin{array}{r} 5\ 6 \\ -\ 4\ 0 \\ \hline \square \end{array} \qquad \begin{array}{r} 7\ 4 \\ -\ 4\ 3 \\ \hline \square \end{array} \qquad \begin{array}{r} 9\ 8 \\ -\ 3\ 2 \\ \hline \square \end{array}$$

✤ 빈 곳에 알맞은 수를 쓰세요.

$$\begin{array}{r} 3\ 7 \\ -\ 1\ \square \\ \hline 2\ 3 \end{array}$$

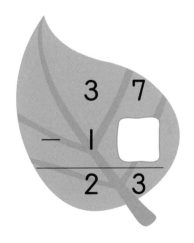

$$\begin{array}{r} 8\ \\ -\ \square\ 6 \\ \hline 6\ 2 \end{array}$$

마무리 평가

마무리 평가에서는 1, 2, 3, 4주 차의 유형이 순서대로 나옵니다.
문제가 틀리면 몇 주 차인지 확인하여 반드시 다시 한번 복습합니다.

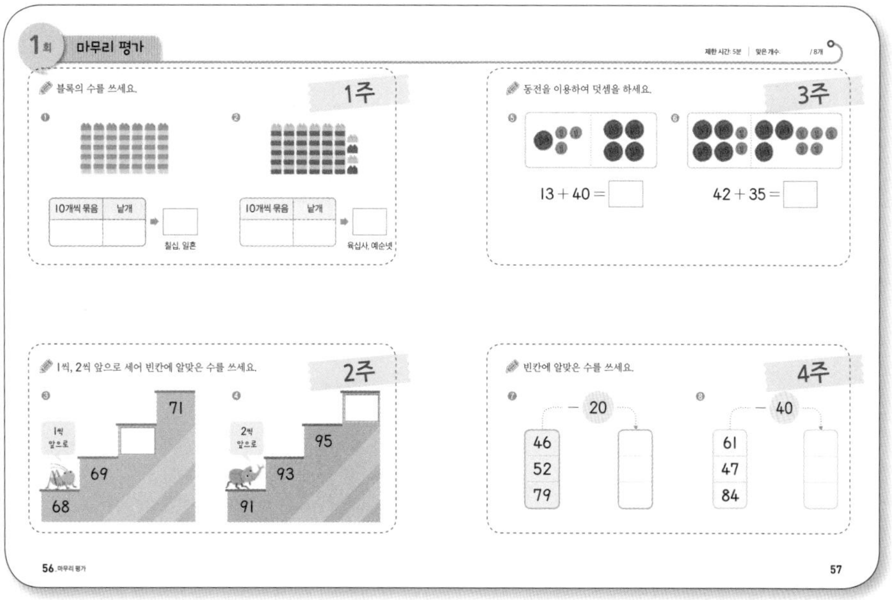
1회 마무리 평가

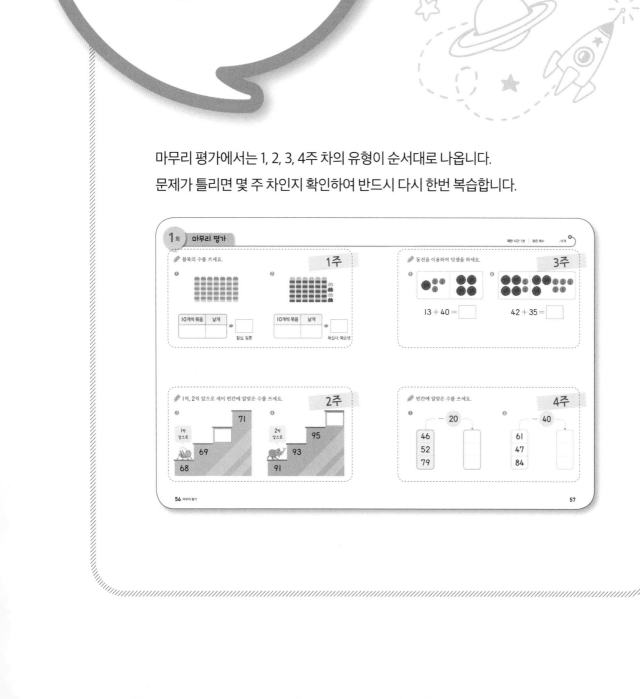

제한 시간: 5분 | 맞은 개수: / 8개

1주
블록의 수를 쓰세요.

①

10개씩 묶음	낱개

➡ ☐ 칠십, 일흔

②

10개씩 묶음	낱개

➡ ☐ 육십사, 예순넷

3주
동전을 이용하여 덧셈을 하세요.

⑤ 13 + 40 = ☐

⑥ 42 + 35 = ☐

2주
1씩, 2씩 앞으로 세어 빈칸에 알맞은 수를 쓰세요.

③ 1씩 앞으로 68, 69, ☐, 71

④ 2씩 앞으로 91, 93, 95, ☐

4주
빈칸에 알맞은 수를 쓰세요.

⑦ − 20: 46, 52, 79

⑧ − 40: 61, 47, 84

56 마무리 평가 57

1회 마무리 평가

블록의 수를 쓰세요.

❶

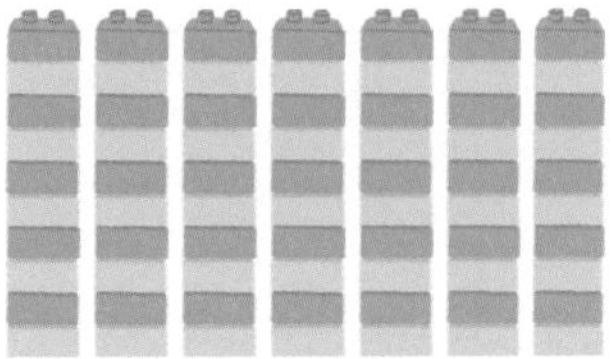

10개씩 묶음	낱개

➡ □

칠십, 일흔

❷

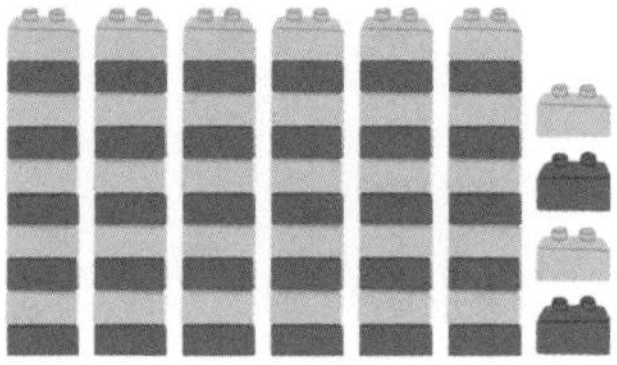

10개씩 묶음	낱개

➡ □

육십사, 예순넷

1씩, 2씩 앞으로 세어 빈칸에 알맞은 수를 쓰세요.

❸

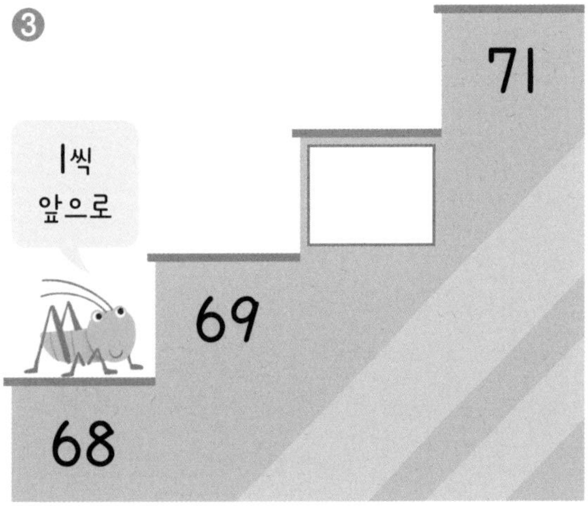

❹

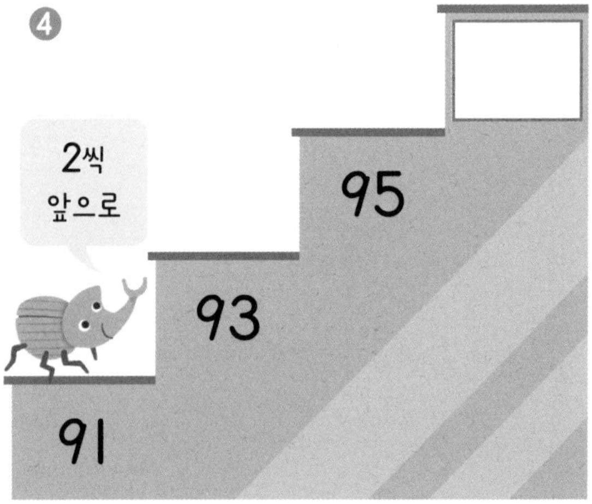

동전을 이용하여 덧셈을 하세요.

❺

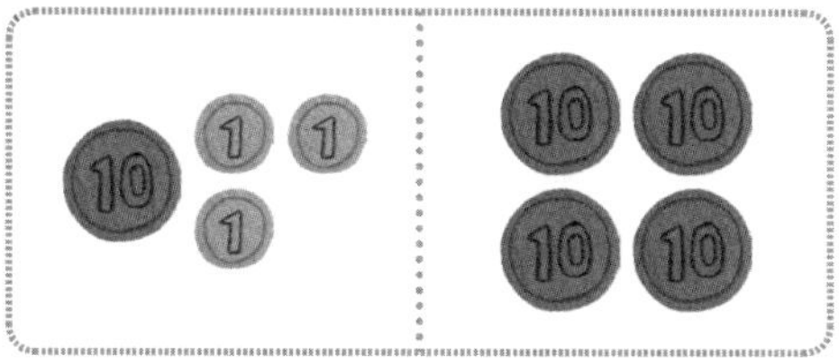

$13 + 40 = \square$

❻

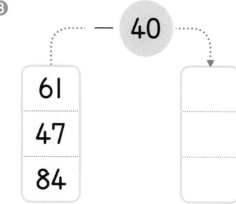

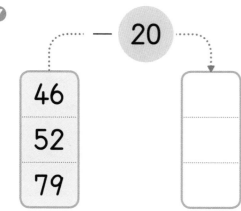

$42 + 35 = \square$

빈칸에 알맞은 수를 쓰세요.

❼ $-\ 20$

46	
52	
79	

❽ $-\ 40$

61	
47	
84	

2회 마무리 평가

수를 세어 쓰세요.

❶

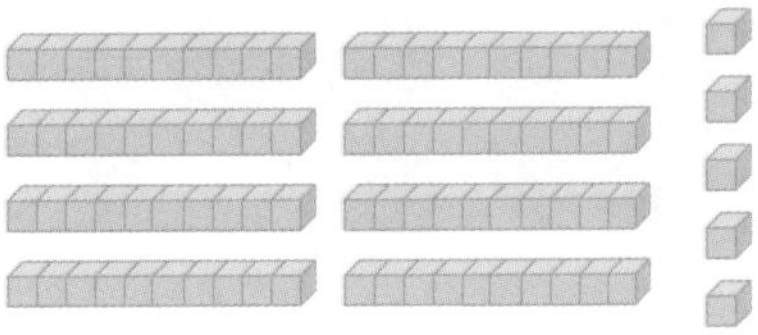

❷

1씩, 2씩 거꾸로 뛰어 세어 미로를 통과하세요.

❸

❹

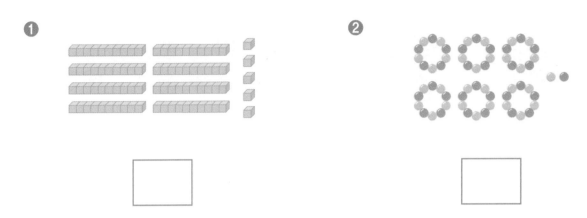

제한 시간: 5분 | 맞은 개수: / 9개

합이 지붕 위의 수가 되는 두 수를 모두 찾아 선으로 이으세요.

❺ 77

34	43
42	54
23	35

❻ 85

63	51
23	62
34	22

빼셈을 하세요.

❼ $65 - 32 = \square$

❽ $48 - 24 = \square$

❾
$$\begin{array}{r} 7\ 9 \\ -\ 2\ 5 \\ \hline \square \end{array}$$

3회 마무리 평가

개수를 세어 보세요.

❶

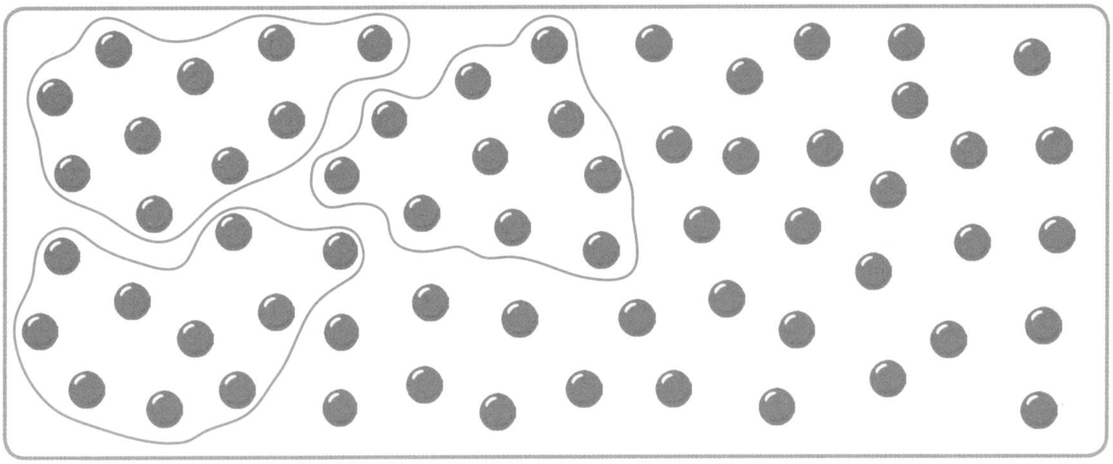

☐ 개

10씩, 20씩 앞으로 세어 빈칸에 알맞은 수를 쓰세요.

❷ 10씩 앞으로

52	62	72	82	

❸ 20씩 앞으로

14	34	54		94

✏️ 세로셈으로 덧셈을 하세요.

④
$$\begin{array}{r} 2\ 1 \\ +\ 3\ 2 \\ \hline \end{array}$$

⑤
$$\begin{array}{r} 5\ 4 \\ +\ 3\ 5 \\ \hline \end{array}$$

⑥
$$\begin{array}{r} 1\ 3 \\ +\ 5\ 2 \\ \hline \end{array}$$

✏️ 계산하여 주어진 수가 나오는 식에 색칠하세요.

⑦

31

$$\begin{array}{r} 6\ 5 \\ -\ 3\ 2 \\ \hline \end{array}$$

$$\begin{array}{r} 9\ 6 \\ -\ 6\ 5 \\ \hline \end{array}$$

$$\begin{array}{r} 7\ 8 \\ -\ 4\ 4 \\ \hline \end{array}$$

⑧

45

$$\begin{array}{r} 6\ 7 \\ -\ 2\ 4 \\ \hline \end{array}$$

$$\begin{array}{r} 7\ 9 \\ -\ 2\ 4 \\ \hline \end{array}$$

$$\begin{array}{r} 8\ 7 \\ -\ 4\ 2 \\ \hline \end{array}$$

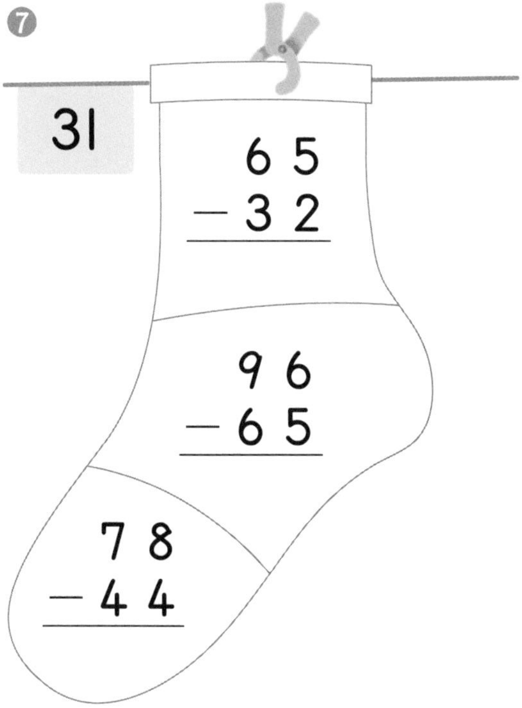

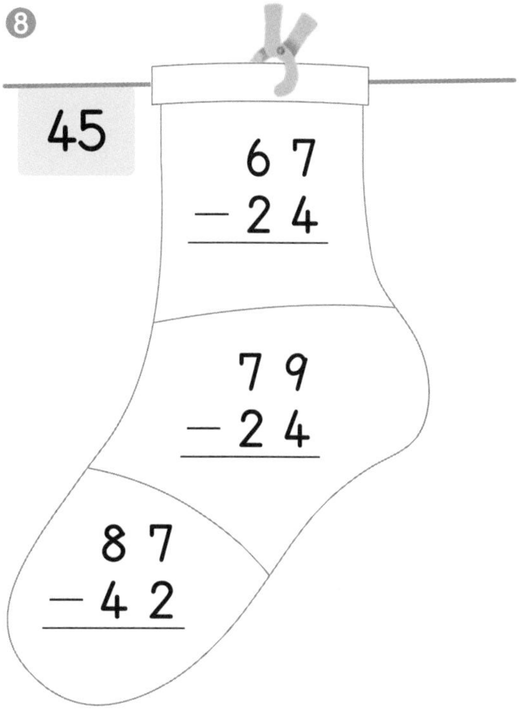

4회 마무리 평가

주어진 금액만큼 동전을 더 그리세요.

❶

54원 ……

❷

85원 ……

→는 10씩 거꾸로, →는 20씩 거꾸로 뛰어 센 수를 쓰세요.

❸ 72 → □ → □ → □

❹ 95 → □ → □ → □

알맞은 수에 색칠하세요.

❺

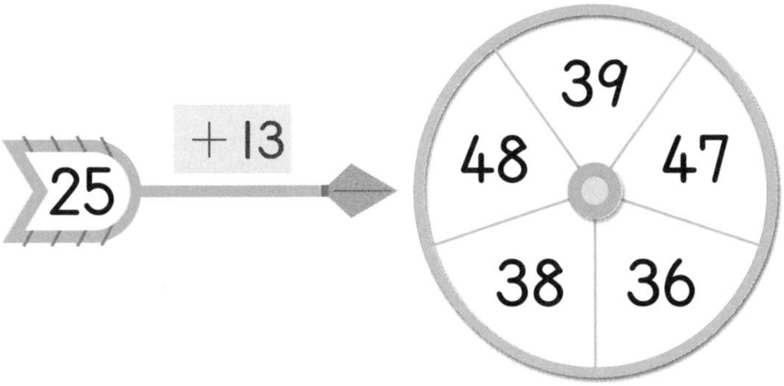

❻

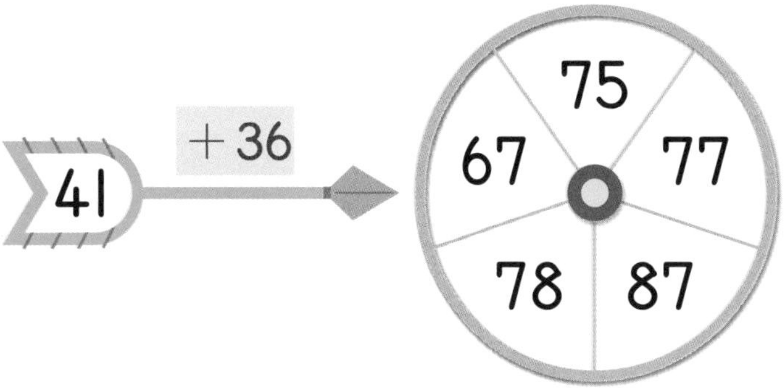

차가 가운데 수가 되는 두 수에 색칠하세요.

❼

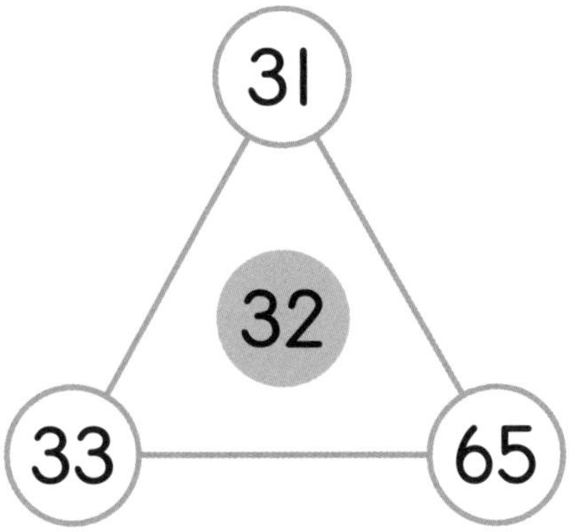

❽

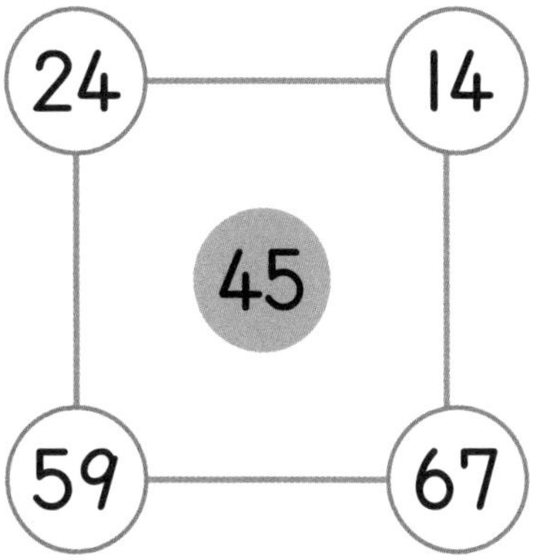

5회 마무리 평가

수 배열표의 일부분이에요. 빈칸에 알맞은 수를 쓰세요.

❶

43	44	
	54	
63		

❷

		87
95	96	

규칙이 같도록 빈칸에 알맞은 수를 쓰세요.

❸

49 — 47 — 45 — 43 — 41

98 — ☐ — ☐ — ☐ — ☐

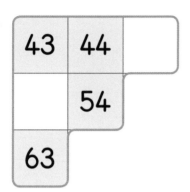

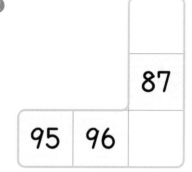

✎ 빈칸에 알맞은 수를 쓰세요.

❹

41	+		=	75
+				+
16				❼
=				=
❺	+		=	89

❻

✎ 빈 곳에 알맞은 수를 쓰세요.

❽
```
   6 8
 - □ 2
 -----
   1 6
```

❾
```
   □ □
 - 1 4
 -----
   6 5
```

❿
```
   5 □
 - □ 6
 -----
   3 2
```

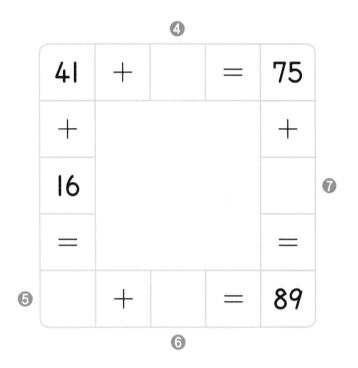

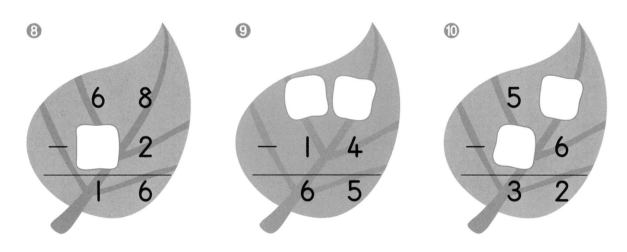

MEMO

실력 평가

초1_4권

시간	2분	문제 수	20개
배점	1문제 5점 / 총 100점		

날짜: 월 일

이름:

점수: 점

사고가 자라는 수학
씨투엠

① $27 + 40 =$

② $12 + 11 =$

③ $42 + 45 =$

④ $53 + 16 =$

⑤ $62 + 32 =$

⑥ $36 - 20 =$

⑦ $49 - 12 =$

⑧ $87 - 62 =$

⑨ $58 - 28 =$

⑩ $95 - 54 =$

⑪ $32 + 24 =$

⑫ $76 - 33 =$

⑬ $21 + 12 =$

⑭ $55 - 44 =$

⑮ $52 + 26 =$

⑯ $34 + 15 =$

⑰ $99 - 18 =$

⑱ $47 - 23 =$

⑲ $24 + 73 =$

⑳ $87 - 35 =$

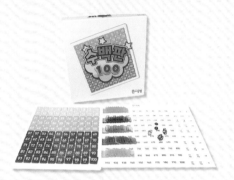

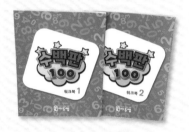

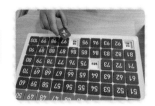

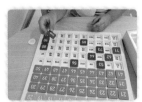

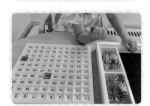

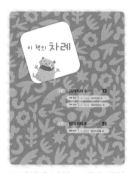

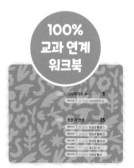

초등 연산의 기준

정답

칸토의 연산

100까지의 수,
받아올림·내림 없는
(두 자리 수±두 자리 수)

사고가 자라는 수학
씨투엠

초1·4권

초등 연산의 기준

칸토의 연산

정답

100까지의 수, 받아올림·내림 없는
(두 자리 수 ± 두 자리 수)

1주: 100까지의 수

1일 **몇십** 은 10개씩 묶음의 수를 0과 함께 써서 나타내.

월 일

9

2일 **몇십몇** 은 10개씩 묶음의 수와 낱개의 수를 나타내.

월 일

11

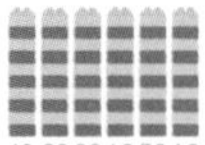

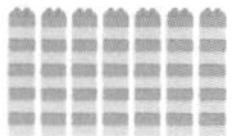

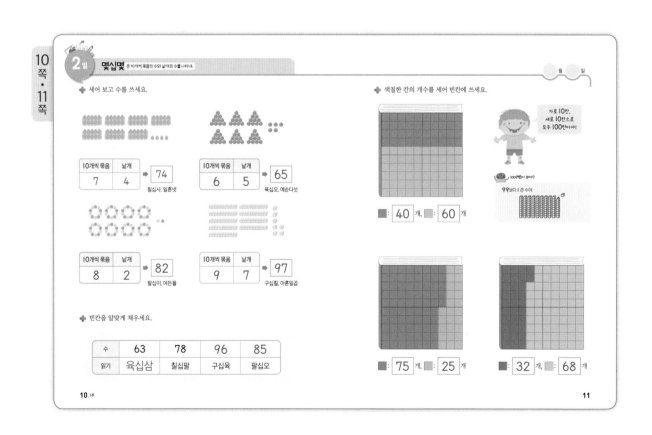

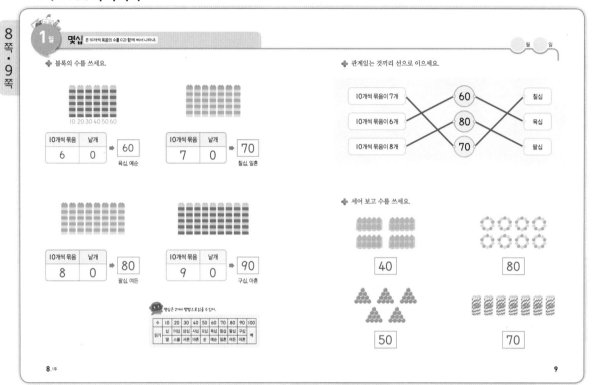

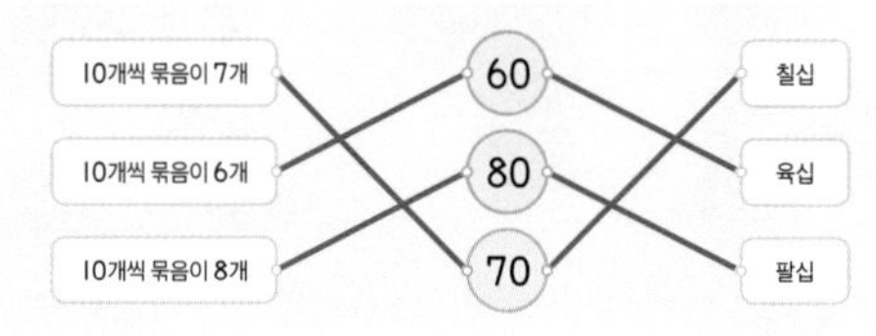

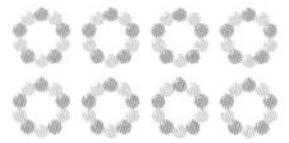

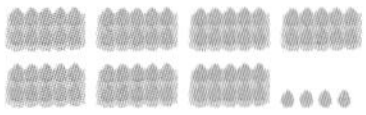

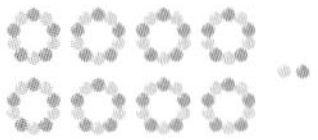

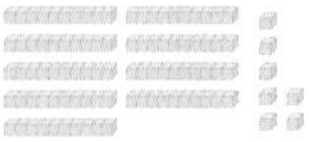

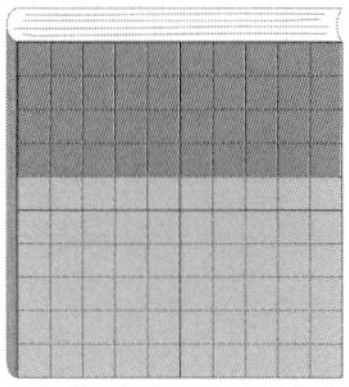

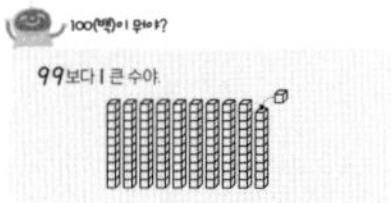

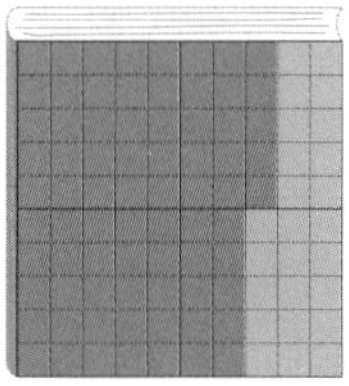

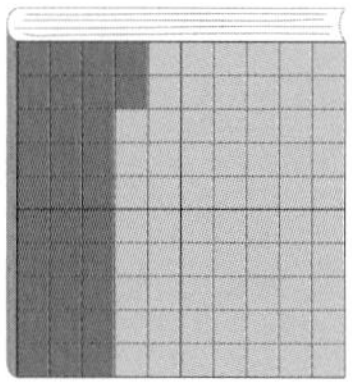

12쪽 · 13쪽

3일 몇 개입니까

10개씩 묶어 세면 정확히 셀 수 있어.

월 일

✚ 개수를 세어 보세요.

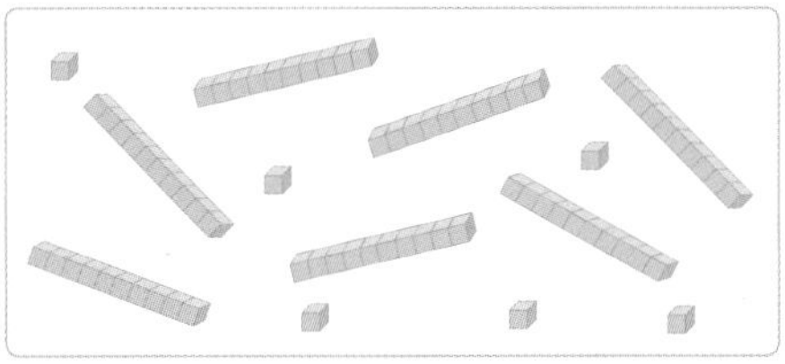

76 개

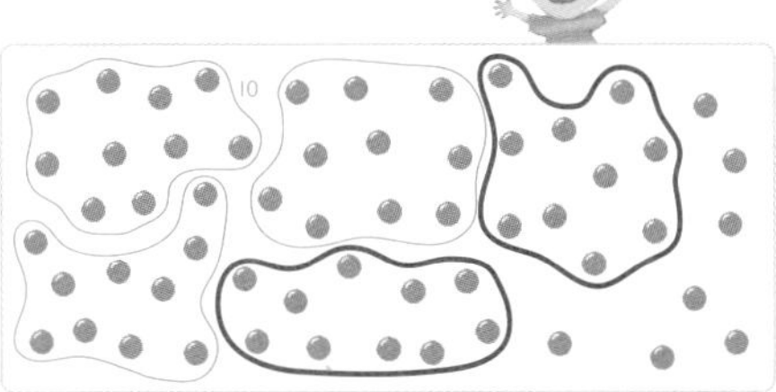

57 개

✚ 구슬의 개수를 세어 보세요.

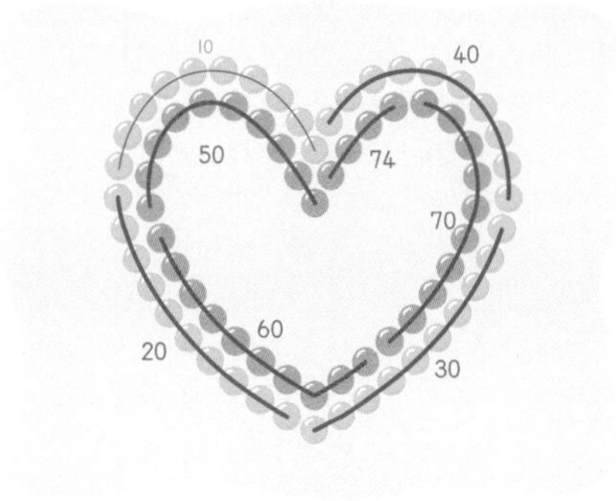

74 개

14쪽 · 15쪽

4일 얼마입니까

십원짜리와 일원짜리 동전을 따로 세어 몇십몇인지 알아보자.

월 일

✚ 얼마인지 금액을 쓰세요.

57 원

82 원

65 원

✚ 알맞은 금액에 ◯표 하세요.

66원	76원 (◯)
67원	75원

✚ 주어진 금액만큼 동전을 더 그리세요.

58원 ……

86원 ……

95원 ……

동전 모형은 수 모형을 더 간단히 나타낸 방법이야.

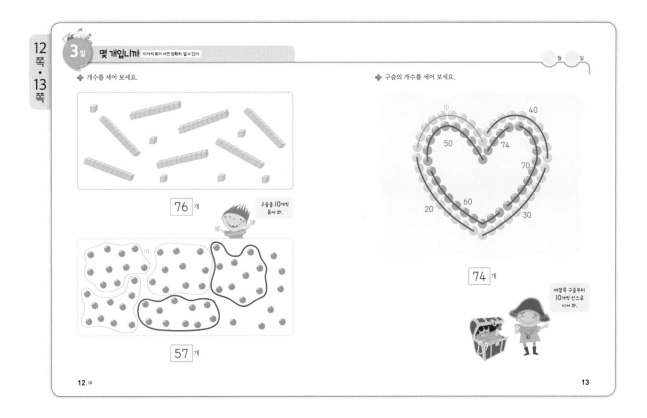

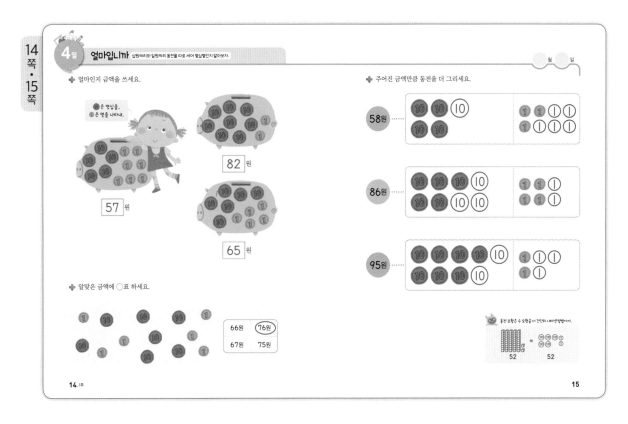

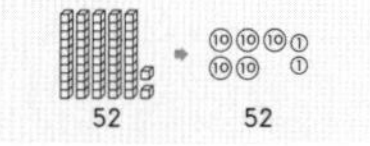

16쪽 · 17쪽

5일 100까지의 수 배열표 머릿속에 꼭꼭 넣어 놔! 수 세기와 덧셈·뺄셈에 큰 도움이 될 거야.

월 일

✚ 수 배열표의 빈칸에 알맞은 수를 쓰세요.

1씩 커져요 →

10씩 커져요 ↓

1	2	3	4	5	6	7	8	9	10
11	12	13	14	15	16	17	18	19	20
21	22	23	24	25	26	27	28	29	30
31	32	33	34	35	36	37	38	39	40
41	42	43	44	45	46	47	48	49	50
51	52	53	54	55	56	57	58	59	60
61	62	63	64	65	66	67	68	69	70
71	72	73	74	75	76	77	78	79	80
81	82	83	84	85	86	87	88	89	90
91	92	93	94	95	96	97	98	99	100

↑ 10씩 작아져요

← 1씩 작아져요

내 자리가
어디더라?

수 배열표에 숨겨진
규칙이 있어.

규칙
- 오른쪽으로 1칸 갈수록 1씩 커져요.
- 아래쪽으로 1칸 갈수록 10씩 커져요.
- 왼쪽으로 1칸 갈수록 1씩 작아져요.
- 위쪽으로 1칸 갈수록 10씩 작아져요.

✚ 수 배열표의 일부분이에요. 빈칸에 알맞은 수를 쓰세요.

45	46	
55	56	57
65	66	67

62	63	64
		74
		84
		94

오른쪽으로
가면 1씩
아래쪽으로 가면
10씩 커져.

	73	
82	83	84
	93	

75	76	77	78
85	86		
95			

		70
		80
88		90
98	99	100

16 1주

17

18쪽

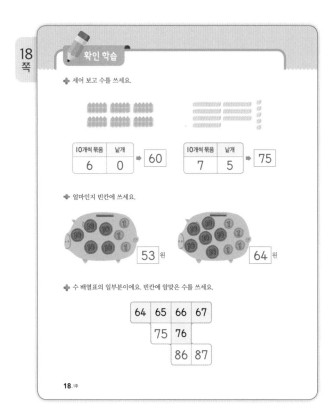

확인 학습

✚ 세어 보고 수를 쓰세요.

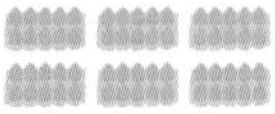

10개씩 묶음	낱개
6	0

➡ 60

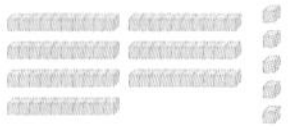

10개씩 묶음	낱개
7	5

➡ 75

✚ 얼마인지 빈칸에 쓰세요.

53 원

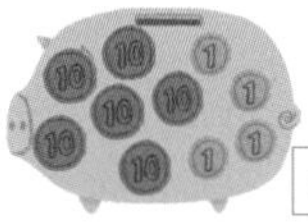

64 원

✚ 수 배열표의 일부분이에요. 빈칸에 알맞은 수를 쓰세요.

64	65	66	67
	75	76	
		86	87

18 1주

1주

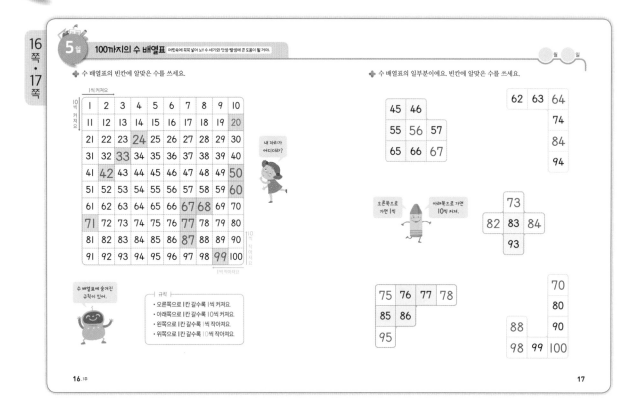

2주: 100까지의 수에서 뛰어 세기

1일 1씩, 2씩 앞으로   뛰어 세기 연습을 많이 하면 수 감각이 좋아져.

🌙 월 🌙 일

✚ 1씩 또는 2씩 앞으로 뛰어 세어 빈칸에 알맞은 수를 쓰세요.

✚ 51부터 80까지 수를 순서대로 이으세요.

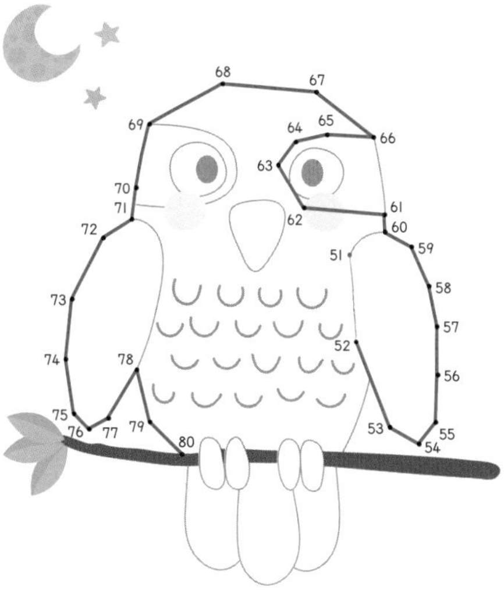

2일 10씩, 20씩 앞으로   뛰어 세어도 일의 자리 수는 변하지 않아.

🌙 월 🌙 일

✚ 10씩, 20씩 앞으로 뛰어 세어 빈칸에 알맞은 수를 쓰세요.

✚ 10씩, 20씩 앞으로 뛰어 세어 강을 건너는 길을 그리세요.

10씩 앞으로

| 34 | 44 | 54 | 64 | 74 |

20씩 앞으로

| 16 | 36 | 56 | 76 | 96 |

10씩 앞으로

| 52 | 62 | 72 | 82 | 92 |

20씩 앞으로

| 8 | 28 | 48 | 68 | 88 |

10씩, 20씩 뛰어 세어도 일의 자리 수는 변하지 않아.
7 + 17 = 27 = 37
7 + 27 = 47 = 67

✚ → 는 10씩 앞으로, → 는 20씩 앞으로 뛰어 센 수를 쓰세요.

14 → 24 → 44 → 54

21 → 41 → 51 → 71

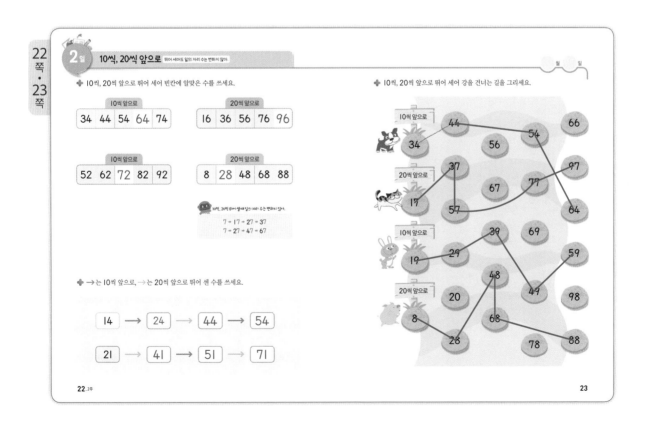

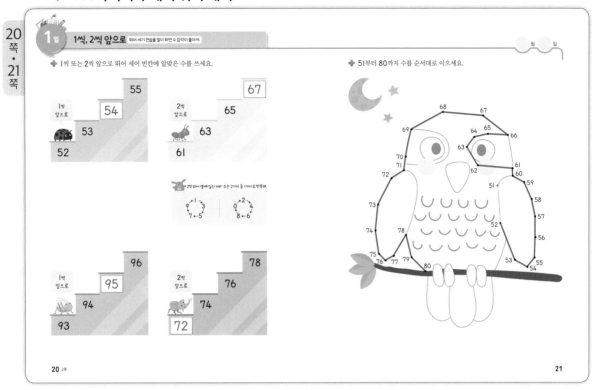

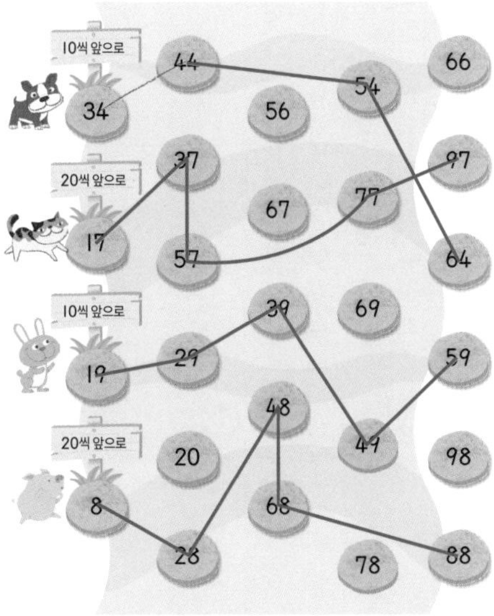

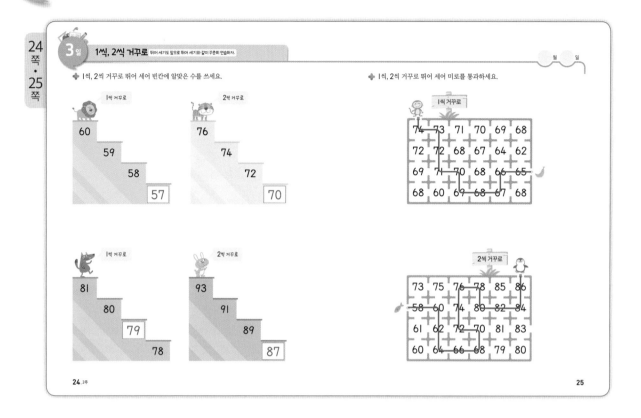

3일 1씩, 2씩 거꾸로 뛰어 세기도 앞으로 뛰어 세기와 같이 꾸준히 연습하자.

➕ 1씩, 2씩 거꾸로 뛰어 세어 빈칸에 알맞은 수를 쓰세요.

➕ 1씩, 2씩 거꾸로 뛰어 세어 미로를 통과하세요.

24 .2주

25

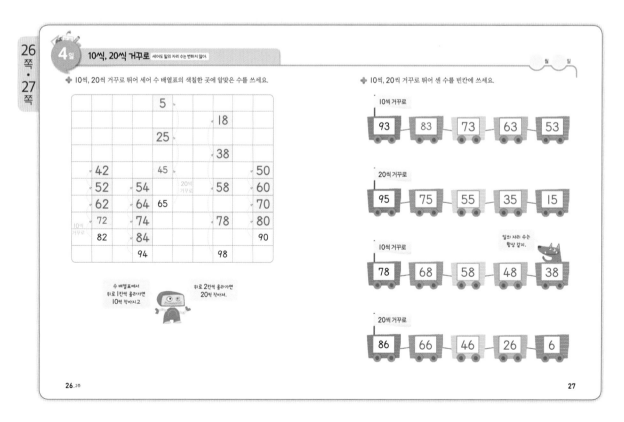

4일 10씩, 20씩 거꾸로 세어도 일의 자리 수는 변하지 않아.

➕ 10씩, 20씩 거꾸로 뛰어 세어 수 배열표의 색칠한 곳에 알맞은 수를 쓰세요.

➕ 10씩, 20씩 거꾸로 뛰어 센 수를 빈칸에 쓰세요.

26 .2주

27

28쪽 · 29쪽

5일 규칙 찾아 뛰어 세기

이제는 얼마씩 뛰어 셌는지 규칙을 직접 찾아 빈칸을 채워 볼까?

월 일

✚ 규칙을 찾아 빈칸에 알맞은 수를 쓰세요.

42	52	62	72	82

71	70	69	68	67

16	36	56	76	96

52	54	56	58	60

82	72	62	52	42

90	88	86	84	82

수가 커지는지 작아지는지, 또 얼마씩 뛰어 세는지도 알아봐.

✚ 규칙이 같도록 빈칸에 알맞은 수를 쓰세요.

23 — 25 — 27 — 29 — 31

62 — 64 — 66 — 68 — 70

✚ 규칙적으로 뛰어 센 수를 모아 놓았어요. 잘못 들어간 수에 ╳표 하세요.

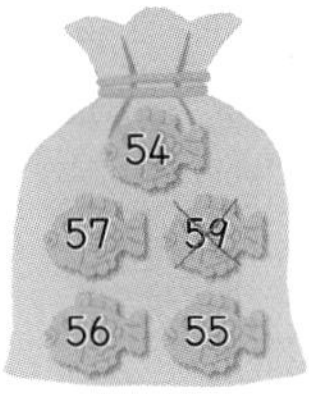

54 – 55 – 56 – 57 – ~~59~~
(1씩 앞으로)

작은 수부터 차례로 놓아 보면 규칙이 보일 거야.

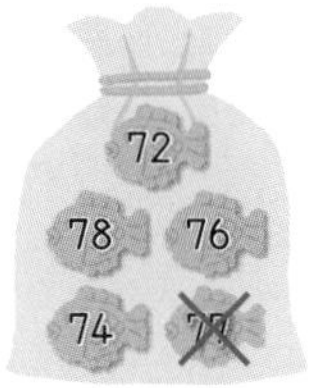

72 – 74 – 76 – ~~77~~ – 78
(2씩 앞으로)

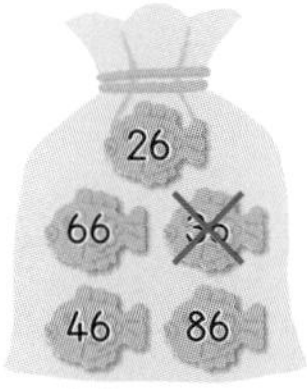

26 – ~~36~~ – 46 – 66 – 86
(20씩 앞으로)

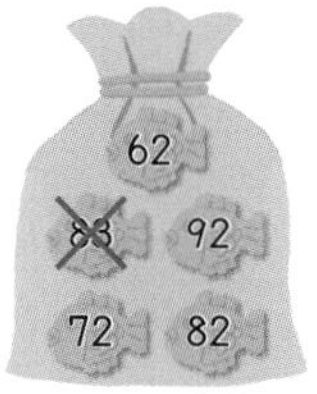

62 – 72 – 82 – ~~83~~ – 92
(10씩 앞으로)

28 2주 29

30쪽

확인 학습

✚ 뛰어 세어 빈칸에 알맞은 수를 쓰세요.

1씩 앞으로

67	68	69	70	71

2씩 거꾸로

85	83	81	79	77

10씩 거꾸로

90	80	70	60	50

20씩 앞으로

10	30	50	70	90

✚ 규칙적으로 뛰어 센 수를 모아 놓았어요. 잘못 들어간 수에 ╳표 하세요.

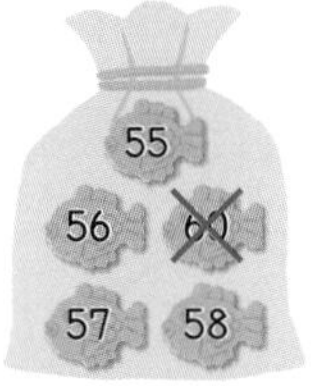

55 – 56 – 57 – 58 – ~~60~~
(1씩 앞으로)

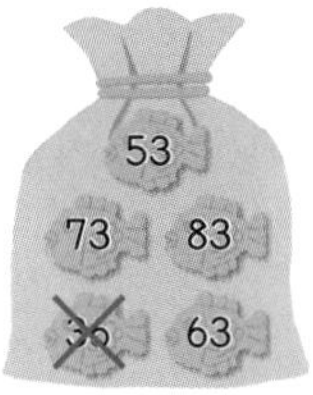

~~36~~ – 53 – 63 – 73 – 83
(20씩 앞으로)

30 2주

2주

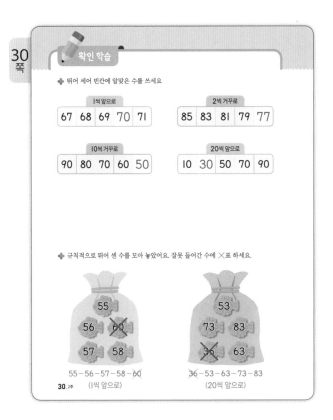

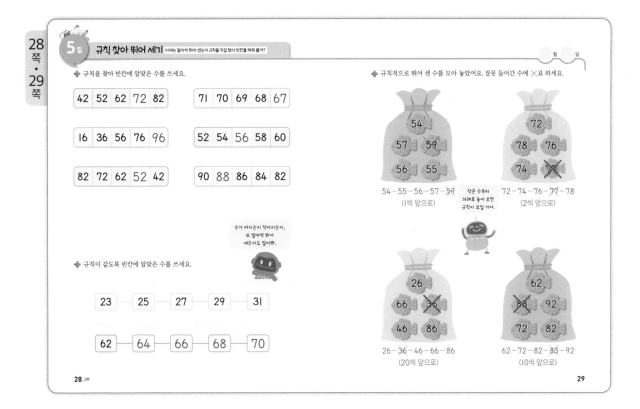

3주: 받아올림 없는 두 자리 수의 덧셈

1일 몇십몇+몇십 몇십끼리 더한 후 나머지 몇을 더해요.

♣ 동전을 이용하여 덧셈을 하세요.

$24 + 30 = \boxed{54}$

$41 + 40 = \boxed{81}$

10원이 5개,
1원이 4개인 수야.

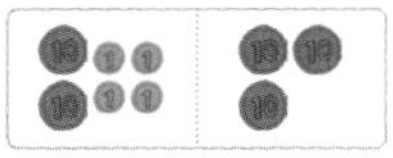

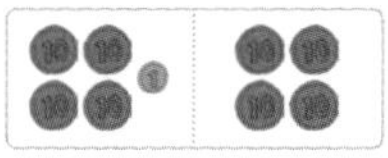

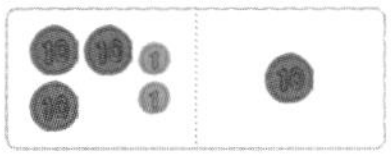

$32 + 10 = \boxed{42}$

$15 + 60 = \boxed{75}$

♣ 계산을 하세요.

$34 + \begin{cases} 20 \rightarrow \boxed{54} \\ 30 \rightarrow \boxed{64} \\ 40 \rightarrow \boxed{74} \end{cases}$

$\begin{cases} 65 \\ 66 \\ 67 \end{cases} + 20 \rightarrow \begin{cases} \boxed{85} \\ \boxed{86} \\ \boxed{87} \end{cases}$

♣ 관계있는 물고기와 선으로 이으세요.

$57 + 20$ $32 + 10$ $14 + 60$

87   86   74   77   42

한 마리 잡았다!

$36 + 50$ $47 + 40$

2일 몇십몇+몇십몇 몇십끼리 더하여 십의 자리에, 몇끼리 더하여 일의 자리에 써.

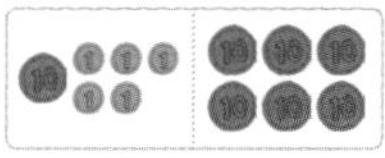

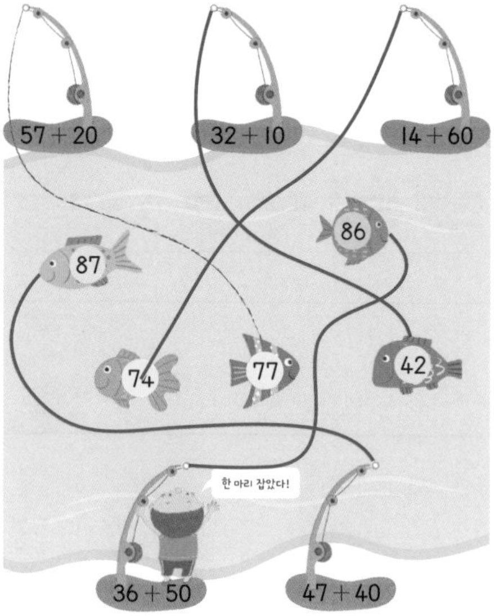

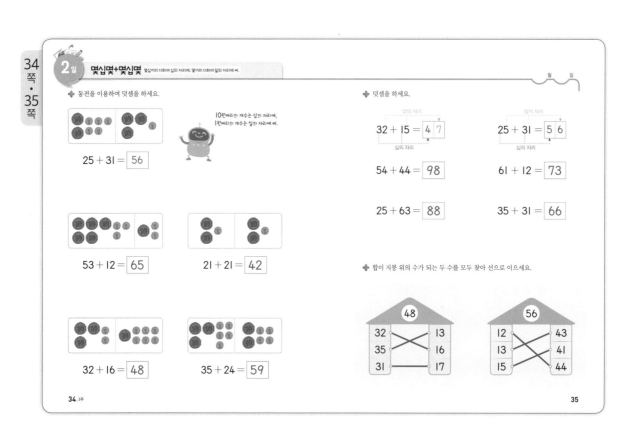

♣ 동전을 이용하여 덧셈을 하세요.

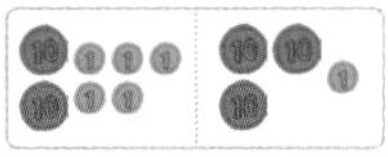

10원짜리의 개수는 십의 자리에,
1원짜리의 개수는 일의 자리에 써.

$25 + 31 = \boxed{56}$

$53 + 12 = \boxed{65}$

$21 + 21 = \boxed{42}$

$32 + 16 = \boxed{48}$

$35 + 24 = \boxed{59}$

♣ 덧셈을 하세요.

일의 자리

$32 + 15 = \boxed{4\ 7}$

십의 자리

$54 + 44 = \boxed{98}$

$25 + 63 = \boxed{88}$

일의 자리

$25 + 31 = \boxed{5\ 6}$

십의 자리

$61 + 12 = \boxed{73}$

$35 + 31 = \boxed{66}$

♣ 합이 지붕 위의 수가 되는 두 수를 모두 찾아 선으로 이으세요.

48

32   13
35   16
31   17

56

12   43
13   41

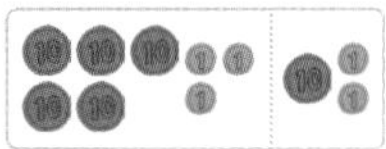

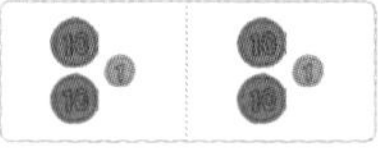

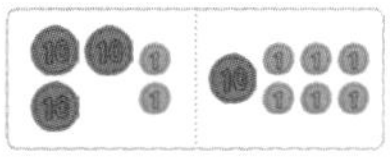

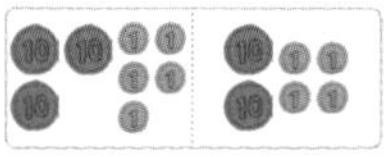

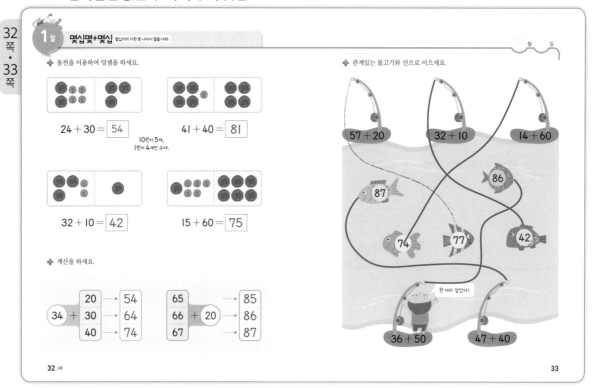

3일 **세로셈** 같은 자리의 수끼리 세로로 더해 봐, 답이 한눈에 보이지 않니?

월   일

✚ 세로셈으로 덧셈을 하세요.

$$\begin{array}{r} 십\ \ 일 \\ 1\ 3 \\ +\ 3\ 2 \\ \hline 4\ 5 \end{array}$$

40   5

$$\begin{array}{r} 2\ 4 \\ +\ 1\ 2 \\ \hline 3\ 6 \end{array}$$
$$\begin{array}{r} 3\ 0 \\ +\ 4\ 5 \\ \hline 7\ 5 \end{array}$$
$$\begin{array}{r} 6\ 3 \\ +\ 2\ 3 \\ \hline 8\ 6 \end{array}$$

$$\begin{array}{r} 5\ 7 \\ +\ 3\ 1 \\ \hline 8\ 8 \end{array}$$
$$\begin{array}{r} 4\ 2 \\ +\ 2\ 7 \\ \hline 6\ 9 \end{array}$$
$$\begin{array}{r} 1\ 5 \\ +\ 6\ 4 \\ \hline 7\ 9 \end{array}$$

✚ 관계있는 것끼리 선으로 이으세요.

$$\begin{array}{r} 5\ 1 \\ +\ 3\ 4 \\ \hline 8\ 5 \end{array}$$
$$\begin{array}{r} 7\ 5 \\ +\ 1\ 2 \\ \hline 8\ 7 \end{array}$$

78   86

$$\begin{array}{r} 1\ 3 \\ +\ 6\ 5 \\ \hline 7\ 8 \end{array}$$
76   87
$$\begin{array}{r} 2\ 4 \\ +\ 4\ 3 \\ \hline 6\ 7 \end{array}$$

85   67

$$\begin{array}{r} 4\ 3 \\ +\ 4\ 3 \\ \hline 8\ 6 \end{array}$$
$$\begin{array}{r} 4\ 2 \\ +\ 3\ 4 \\ \hline 7\ 6 \end{array}$$

4일 **두 자리 수의 덧셈 연습** 지금까지 두 자리 수의 덧셈을 잘 공부했는지 알아볼까?

월   일

✚ 알맞은 길을 그리세요.

42+13   55   25+24   48
54   49
56   30+26
66
12+21   34   82+13   95
33   96
87   26+61
78

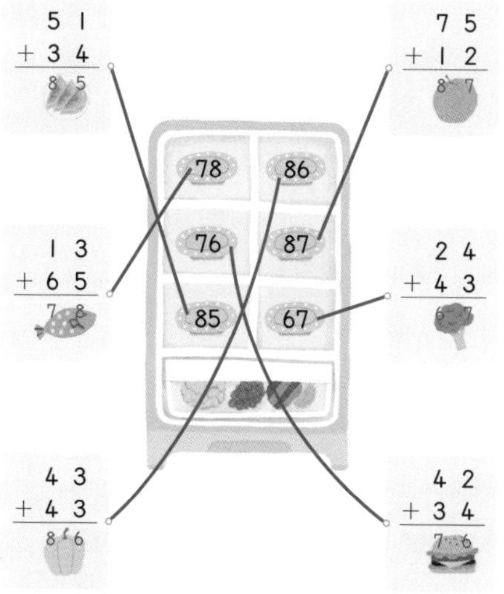

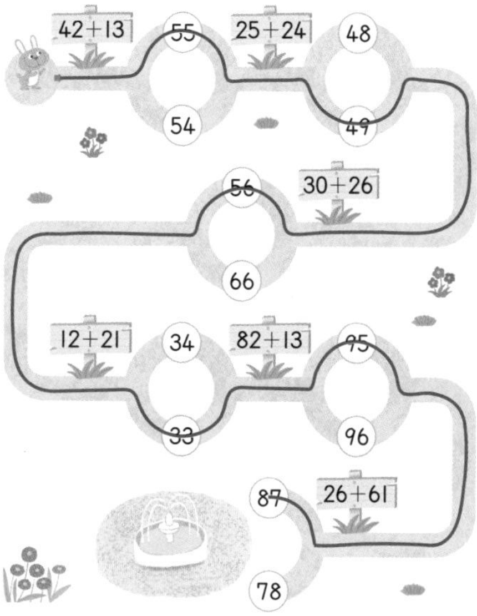

✚ 같은 모양에 있는 수끼리 더하여 같은 모양 안에 쓰세요.

36   54   42   54+25 = 79
25   13   31   42+13 = 55
36+31 = 67

✚ 알맞은 수에 색칠하세요.

37 +12   50 / 48 / 59 / 49 / 40

23 +51   75 / 64 / 74 / 72 / 63

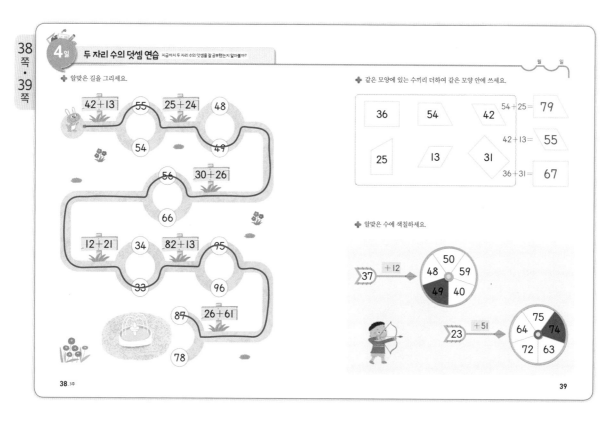

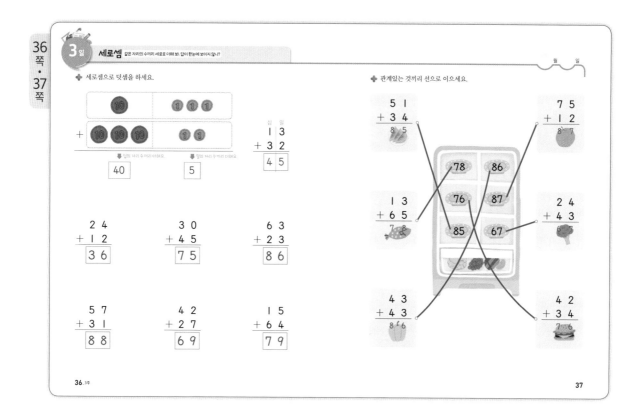

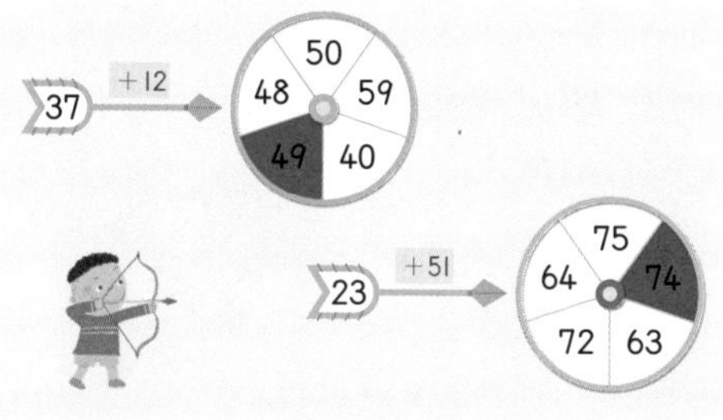

정답

확인 학습

3주

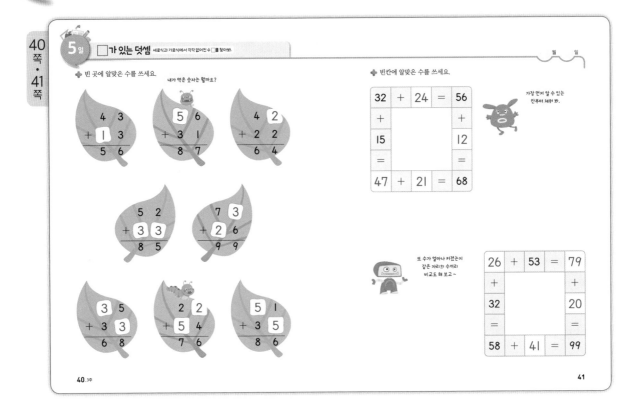

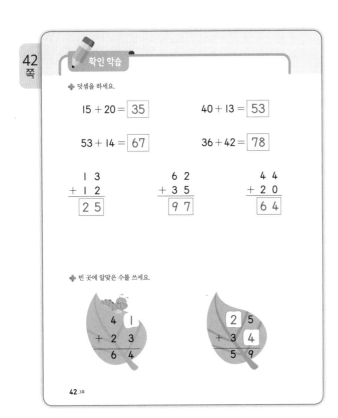

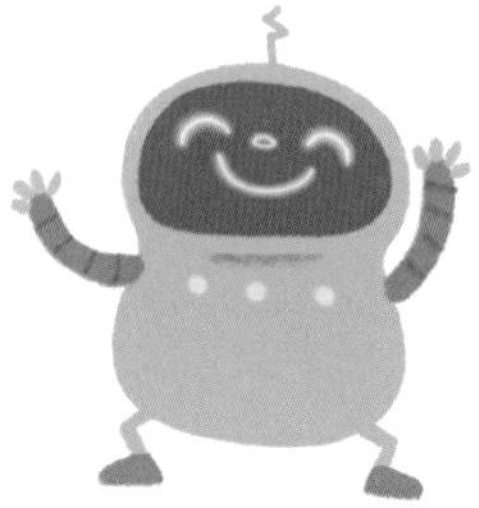

4주: 받아내림 없는 두 자리 수의 뺄셈

44
쪽
·
45
쪽

1일 **몇십몇-몇십** 몇십끼리 뺀 후 나머지 몇을 더해요.

월 일

➕ 동전을 보고 뺄셈을 하세요.

● 짜리 동전만 빼면,
● 짜리 동전의
개수는 같지.

72 − 30 = 42

35 − 20 = 15

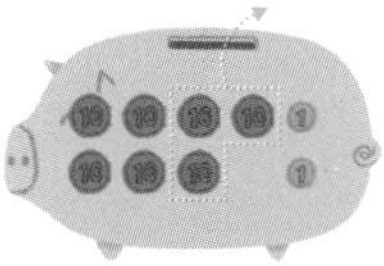

89 − 60 = 29

➕ 빈 곳에 알맞은 수를 쓰세요.

43		23
25	− 20 →	5
71		51

52		2
68	− 50 →	18
94		44

➕ 바구니와 관계있는 별을 선으로 이으세요.

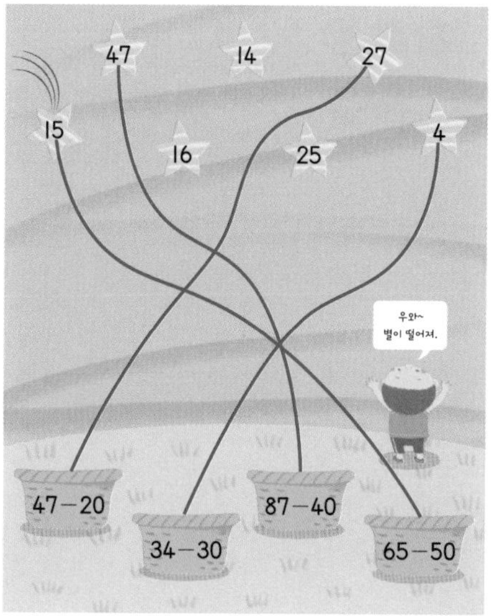

우와~
별이 떨어져.

47−20　　34−30　　87−40　　65−50

44.4주

45

2일 **몇십몇-몇십몇** 몇십끼리 빼서 십의 자리에, 몇끼리 빼서 일의 자리에 써.

46
쪽
·
47
쪽

월 일

➕ 동전을 /으로 지워 뺄셈을 하세요.

지우고 남은
동전의 금액을
써야 해.

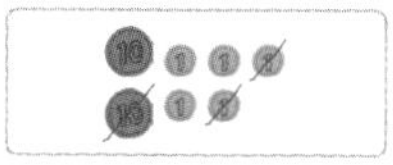

25 − 12 = 13

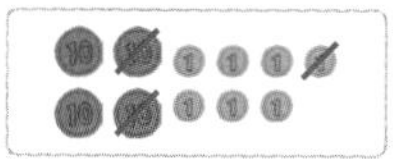

47 − 21 = 26

53 − 13 = 40

68 − 34 = 34

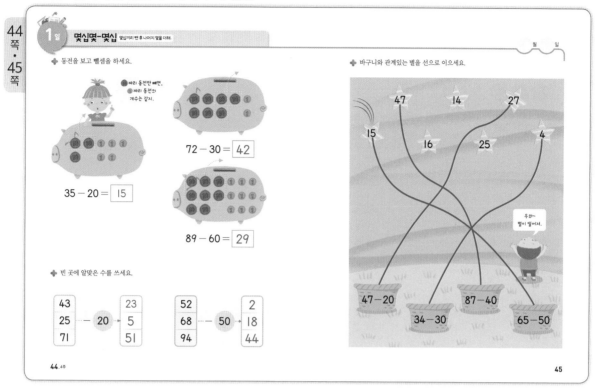

85 − 62 = 23

➕ 뺄셈을 하세요.

십의 자리　일의 자리
47 − 26 = 2 1

일의 자리
76 − 42 = 3 4
십의 자리

54 − 44 = 10

35 − 20 = 15

89 − 63 = 26

68 − 17 = 51

➕ 빈칸에 알맞은 수를 쓰세요.

74　−23→ 51
−20↓　　↑−3
　　54

59　−35→ 24
−30↓　　↑−5
　　29

46.4주

47

쪽
·
49
쪽

3일 세로셈 은 자리만 맞추어 쓰면 답이 한눈에 보여서 가로셈보다 더 쉬워.

월 일

➕ 세로셈으로 뺄셈을 하세요.

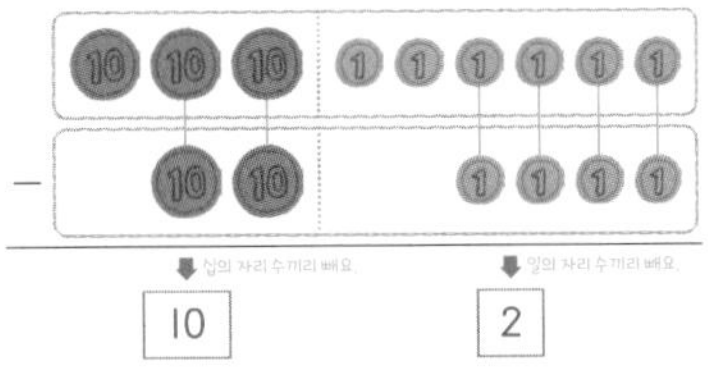

$$\begin{array}{r} 3\ 6 \\ -\ 2\ 4 \\ \hline 1\ 2 \end{array}$$

10   2

$$\begin{array}{r} 5\ 9 \\ -\ 2\ 3 \\ \hline 3\ 6 \end{array}$$
$$\begin{array}{r} 6\ 7 \\ -\ 5\ 2 \\ \hline 1\ 5 \end{array}$$
$$\begin{array}{r} 9\ 5 \\ -\ 1\ 1 \\ \hline 8\ 4 \end{array}$$

$$\begin{array}{r} 4\ 6 \\ -\ 3\ 5 \\ \hline 1\ 1 \end{array}$$
$$\begin{array}{r} 8\ 8 \\ -\ 4\ 6 \\ \hline 4\ 2 \end{array}$$
$$\begin{array}{r} 5\ 7 \\ -\ 1\ 4 \\ \hline 4\ 3 \end{array}$$

➕ 계산하여 주어진 수가 나오는 식에 색칠하세요.

22

$$\begin{array}{r} 7\ 2 \\ -\ 5\ 1 \\ \hline 2\ 1 \end{array}$$
$$\begin{array}{r} 5\ 3 \\ -\ 3\ 1 \\ \hline 2\ 2 \end{array}$$
$$\begin{array}{r} 4\ 8 \\ -\ 2\ 4 \\ \hline 2\ 4 \end{array}$$

22가 나오는 식에 색칠해.

43

$$\begin{array}{r} 8\ 4 \\ -\ 3\ 0 \\ \hline 5\ 4 \end{array}$$
$$\begin{array}{r} 7\ 5 \\ -\ 3\ 1 \\ \hline 4\ 4 \end{array}$$
$$\begin{array}{r} 9\ 7 \\ -\ 5\ 4 \\ \hline 4\ 3 \end{array}$$

35

$$\begin{array}{r} 5\ 7 \\ -\ 1\ 2 \\ \hline 4\ 5 \end{array}$$
$$\begin{array}{r} 7\ 9 \\ -\ 4\ 4 \\ \hline 3\ 5 \end{array}$$
$$\begin{array}{r} 4\ 8 \\ -\ 1\ 4 \\ \hline 3\ 4 \end{array}$$
$$\begin{array}{r} 6\ 7 \\ -\ 3\ 6 \\ \hline 3\ 1 \end{array}$$

48.4주   49

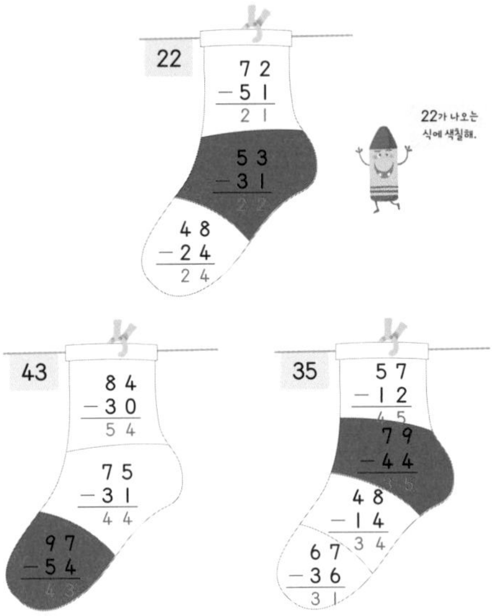

50
쪽
·
51
쪽

4일 두 자리 수의 뺄셈 연습 자리만 맞추어 빼면 어렵지 않아.

월 일

➕ 알맞은 수를 찾아 ✕표 하세요.

➕ 계산 결과를 모두 찾아 색칠하세요.

➕ 차가 가운데 수가 되는 두 수에 색칠하세요.

같은 자리의 수끼리 빼야 해.

39 − 23

65 − 31

78 − 36

| 52−21=31 |
| 68−33=35 |
| 74−52=22 |
| 97−24=73 |
| 49−31=18 |

8	32	45	53	22
73	24	41	71	62
34	28	42	31	25
23	52	36	19	18
17	35	51	72	21

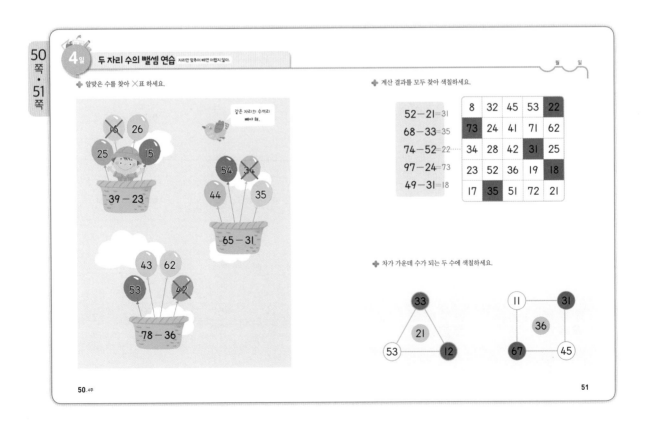

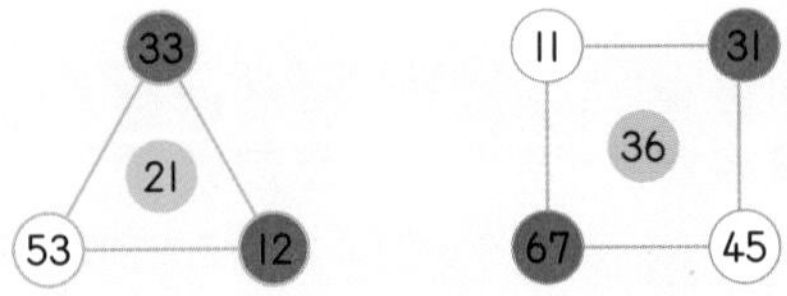

5일 □가 있는 뺄셈 세로식과 가로식에서 각각 없어진 수 □를 찾아봐.

월   일

✚ 빈 곳에 알맞은 수를 쓰세요.

| 3 5 |
| − 2 2 |
| 1 3 |

| 7 7 |
| − 2 3 |
| 5 4 |

| 4 7 |
| − 1 1 |
| 3 6 |

| 7 9 |
| − 3 7 |
| 4 2 |

| 4 8 |
| − 3 6 |
| 1 2 |

| 6 7 |
| − 4 5 |
| 2 2 |

| 7 7 |
| − 4 1 |
| 3 4 |

| 8 9 |
| − 2 4 |
| 6 5 |

✚ 가로 열쇠와 세로 열쇠를 풀어 빈칸에 알맞은 수를 쓰세요.

②95−□=43

①46−□=11

① 3	⑤ 5
② 7 ④ 4	② 3
8	④ 9 4

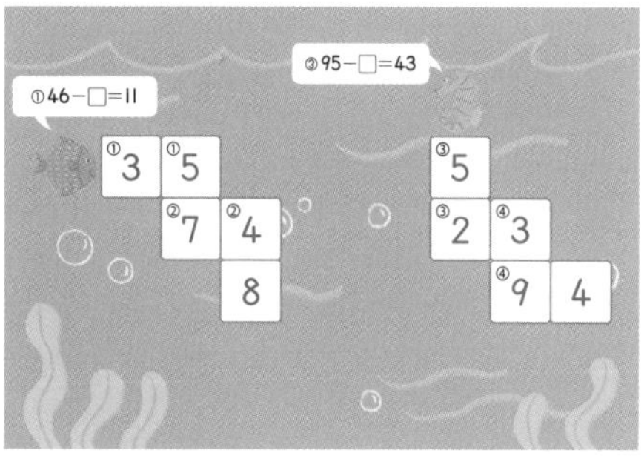

가로 열쇠

① 46 − [35] = 11
② [74] − 64 = 10
③ 57 − [23] = 34
④ [94] − 41 = 53

세로 열쇠

① 78 − [57] = 21
② [48] − 31 = 17
③ 95 − [52] = 43
④ [39] − 14 = 25

52.4주

53

✏️ **확인 학습**

✚ 뺄셈을 하세요.

64 − 20 = [44]   47 − 35 = [12]

38 − 12 = [26]   89 − 24 = [65]

| 5 6 |
| − 4 0 |
| 1 6 |

| 7 4 |
| − 4 3 |
| 3 1 |

| 9 8 |
| − 3 2 |
| 6 6 |

✚ 빈 곳에 알맞은 수를 쓰세요.

| 3 7 |
| − 1 4 |
| 2 3 |

| 8 8 |
| − 2 6 |
| 6 2 |

54.4주

4주

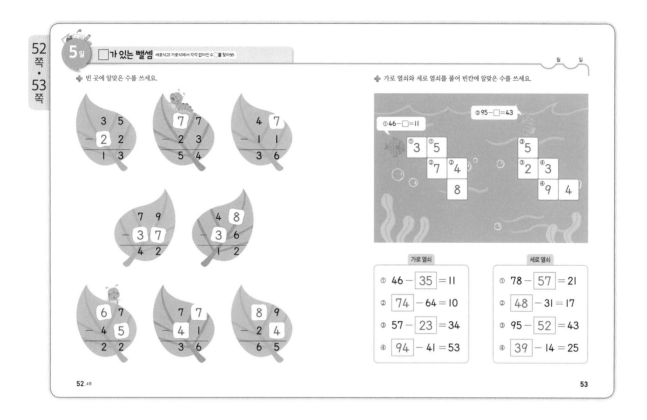

정답

마무리 평가

56쪽 · 57쪽

1회 마무리 평가

제한 시간: 5분 | 맞은 개수: / 8개

블록의 수를 쓰세요.

❶

10개씩 묶음	낱개
7	0

➡ 70

칠십, 일흔

❷

10개씩 묶음	낱개
6	4

➡ 64

육십사, 예순넷

동전을 이용하여 덧셈을 하세요.

❺

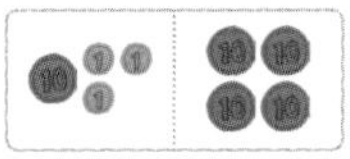

$13 + 40 = 53$

❻

$42 + 35 = 77$

1씩, 2씩 앞으로 세어 빈칸에 알맞은 수를 쓰세요.

❸

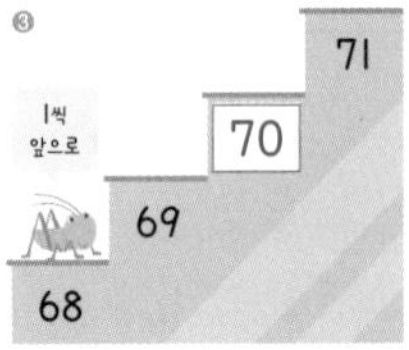

❹

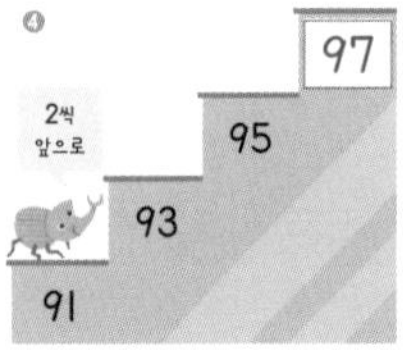

빈칸에 알맞은 수를 쓰세요.

❼ − 20

46	26
52	32
79	59

❽ − 40

61	21
47	7
84	44

56 마무리 평가 57

본문 58~59쪽

58쪽 · 59쪽

2회 마무리 평가

제한 시간: 5분 | 맞은 개수: / 9개

수를 세어 쓰세요.

❶

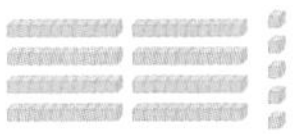

85

❷

62

합이 지붕 위의 수가 되는 두 수를 모두 찾아 선으로 이으세요.

❺

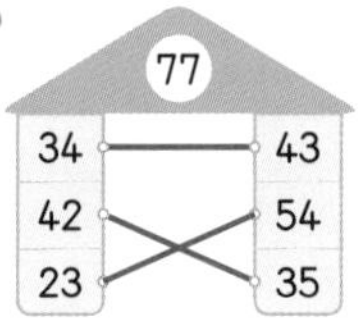

❻

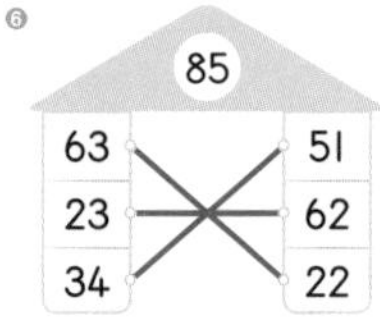

1씩, 2씩 거꾸로 뛰어 세어 미로를 통과하세요.

❸

❹

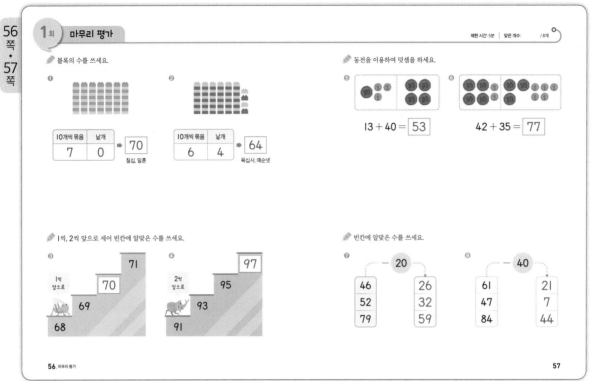

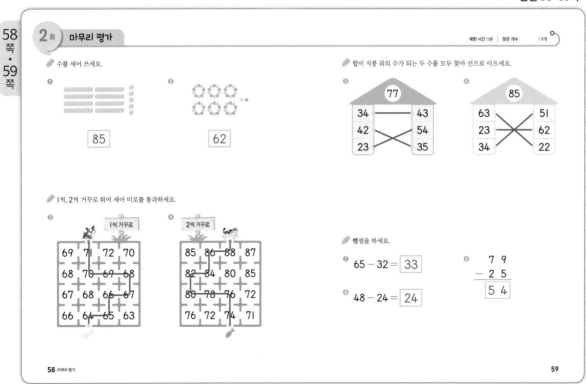

뺄셈을 하세요.

❼ $65 - 32 = 33$

❽ $48 - 24 = 24$

❾ $\begin{array}{r} 79 \\ -\ 25 \\ \hline 54 \end{array}$

58 마무리 평가 59

쪽·61
쪽

✏️ 개수를 세어 보세요.

① 63 개

✏️ 10씩, 20씩 앞으로 세어 빈칸에 알맞은 수를 쓰세요.

② 10씩 앞으로
52 62 72 82 92

③ 20씩 앞으로
14 34 54 74 94

✏️ 세로셈으로 덧셈을 하세요.

④
```
  2 1
+ 3 2
-----
  5 3
```

⑤
```
  5 4
+ 3 5
-----
  8 9
```

⑥
```
  1 3
+ 5 2
-----
  6 5
```

✏️ 계산하여 주어진 수가 나오는 식에 색칠하세요.

⑦ 31
```
  6 5
- 3 2
-----
  3 3
```
```
  9 6
- 6 5
-----
  3 1
```
```
  7 8
- 4 4
-----
  3 4
```

⑧ 45
```
  6 7
- 2 4
-----
  4 3
```
```
  7 9
- 2 4
-----
  5 5
```
```
  8 7
- 4 2
```

60 . 마무리 평가   61

62
쪽·63
쪽

✏️ 주어진 금액만큼 동전을 더 그리세요.

① 54원 ······ 10 10 10 / 10 10   1 1 / 1 1

② 85원 ······ 10 10 10 10 / 10 10 10 10   1 1 1 / 1 1

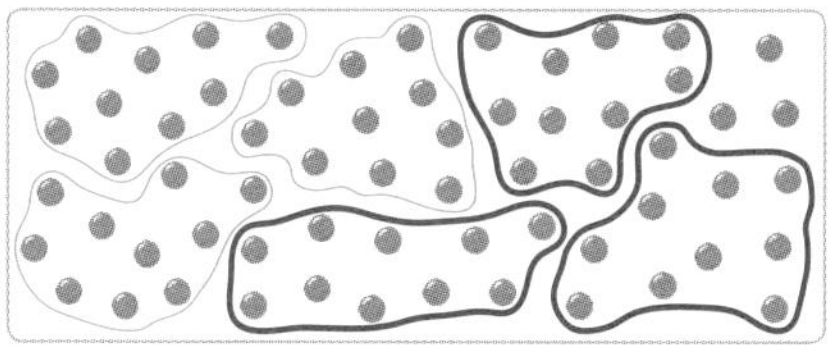

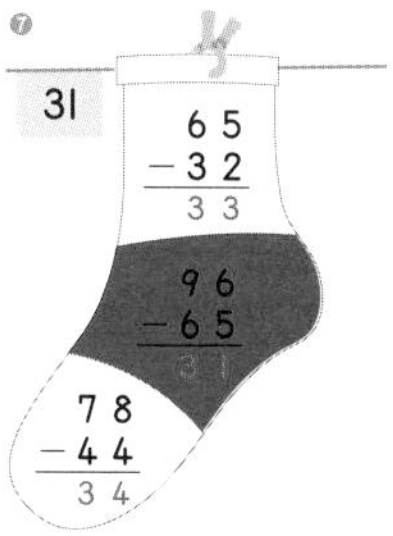

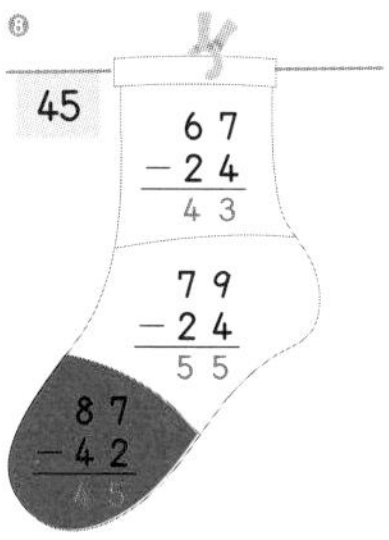

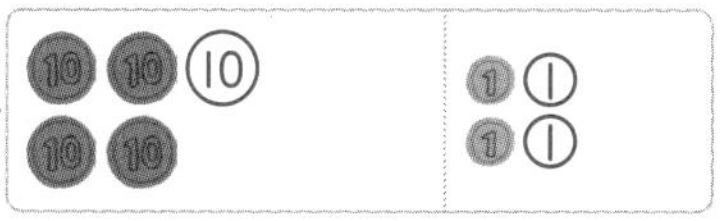

✏️ →는 10씩 거꾸로, ➔는 20씩 거꾸로 뛰어 센 수를 쓰세요.

③ 72 → 62 → 42 → 32

④ 95 → 75 → 65 → 45

✏️ 알맞은 수에 색칠하세요.

⑤ 25 +13 → 39 / 48 / 47 / 38 / 36

⑥ 41 +36 → 75 / 67 / 77 / 78 / 87

✏️ 차가 가운데 수가 되는 두 수에 색칠하세요.

⑦ 31 / 32 / 33 / 65

⑧ 24 / 14 / 45 / 59 / 67

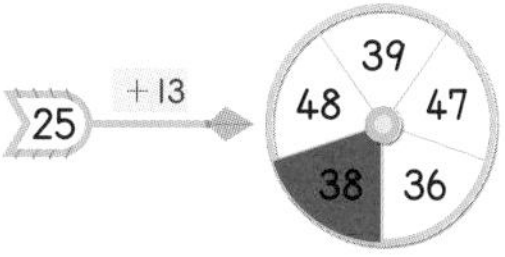

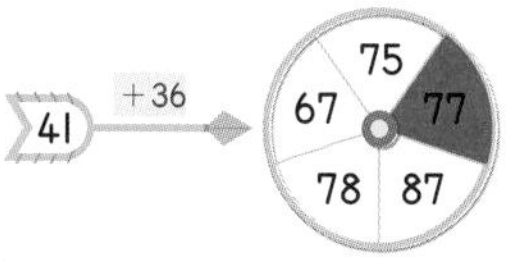

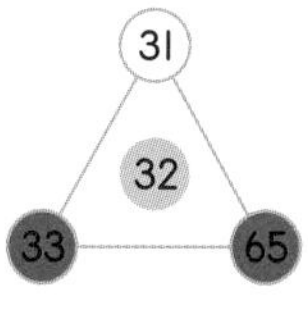

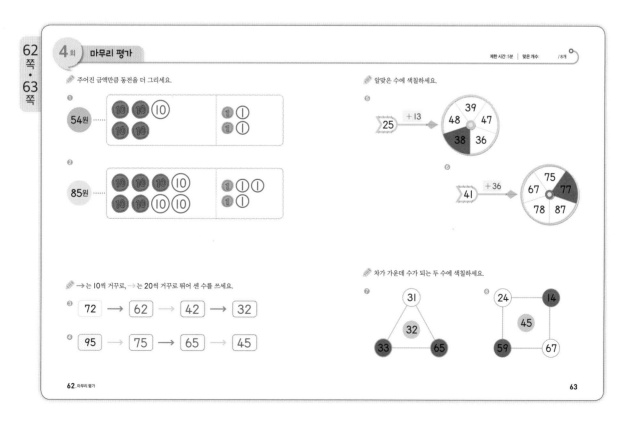

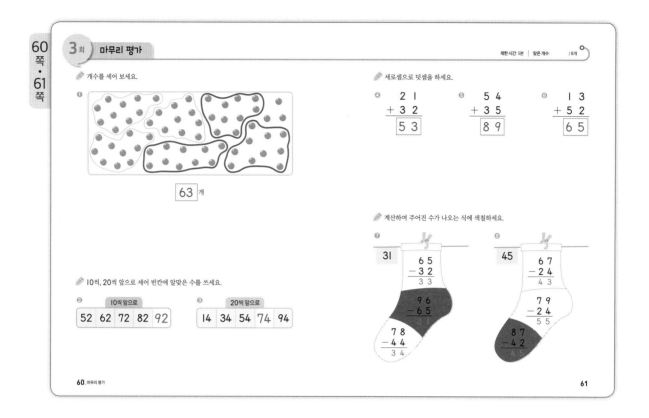

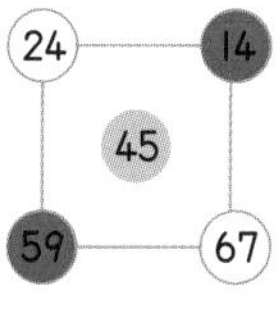

64쪽 · 65쪽

5회 마무리 평가

제한 시간: 5분 | 맞은 개수: /10개

수 배열표의 일부분이에요. 빈칸에 알맞은 수를 쓰세요.

❶

43	44	45
53	54	
63		

❷

		77
		87
95	96	97

빈칸에 알맞은 수를 쓰세요.

❹ 41 + 34 = 75

41 + 16 = 57

❼ 75 + 14 = 89

❺ 57 + 32 = 89 ❻

규칙이 같도록 빈칸에 알맞은 수를 쓰세요.

❸ 49 — 47 — 45 — 43 — 41

98 — 96 — 94 — 92 — 90

빈 곳에 알맞은 수를 쓰세요.

❽ 68 − 52 = 16

❾ 79 − 14 = 65

❿ 58 − 26 = 32

실력 평가

68쪽

칸토의 연산 초1 4권 실력 평가

❶ 27 + 40 = 67

❷ 12 + 11 = 23

❸ 42 + 45 = 87

❹ 53 + 16 = 69

❺ 62 + 32 = 94

❻ 36 − 20 = 16

❼ 49 − 12 = 37

❽ 87 − 62 = 25

❾ 58 − 28 = 30

❿ 95 − 54 = 41

⓫ 32 + 24 = 56

⓬ 76 − 33 = 43

⓭ 21 + 12 = 33

⓮ 55 − 44 = 11

⓯ 52 + 26 = 78

⓰ 34 + 15 = 49

⓱ 99 − 18 = 81

⓲ 47 − 23 = 24

⓳ 24 + 73 = 97

⓴ 87 − 35 = 52

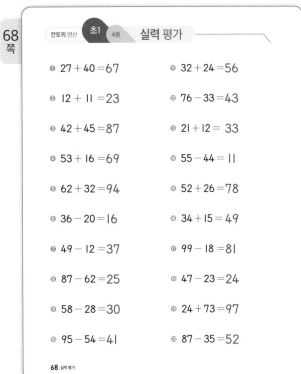

The essence of mathematics is freedom.
수학의 본질은 자유로움에 있다.

Georg Cantor(1845~1918)

모 델 명 : 칸토의 연산
제조년월 : 2022년 8월 | 제조자명 : ㈜씨투엠에듀
주소 및 전화번호 : 경기도 수원시 장안구 파장로 7(태영빌딩 3층) / 031-548-1191
제조국명 : 한국 | 사용연령 : 만 3세 이상

이 책의 전부 또는 일부에 대한 무단전재와 무단복제를 금합니다.
홈페이지 : www.c2medu.co.kr | 지원카페 : cafe.naver.com/fieldsm